ब्रह्माण्ड के स्पंदन को समर्पित

किस्सा सूची

कुछ मन की

लिखना एक शौक भी है और एक ट्रैप भी। एक बार आप इस युनिवर्स में घुस गए तो उसके बाद वहाँ से निकलने का कोई रास्ता नहीं। वन वे पर बस आगे बढ़ते ही रहें। अख़बारों और इधर उधर की मैगज़ीनों में लिखने के बाद अब हर कोई सोशल मीडिया पर अपनी डायरी लिखने में व्यस्त है। अपने मन का गुबार निकालने की बारी आई तो मैंने तय किया कि सृष्टि की शुरुआत के साथ जो कैरेक्टर हमारे बीच लगभग हर किस्से में मौजूद है उन्हीं को ध्यान में रखते हुए बात कही जाए। इसी सोच के साथ जन्म हुआ पांखी और पिंटू के काल्पनिक चरित्रों का। इस पुस्तक में पिछले कुछ सालों में लिखे गए किस्सों के साथ इन दोनों की चुहलबाजी जोड़ते हुए आपके सामने पेश किया जा रहा है। तनाव भरी ज़िन्दगी के बीच ये किस्से आपको हल्का फुल्का महसूस करवाएंगे, ये तय है। और हाँ, ये रामप्यारी कौन है? ये सस्पेंस किसी ना किसी किस्से में खुल जायेगा।

यथार्थनारायण - फेसबुकोपवास की पावन कथा

॥प्रथम अध्याय॥

एक समय की बात है डिजिटल तीर्थ में सवा सौ करोड़ मित्रों ने दिन-रात अपनी पोस्ट से जन-जन को पकाने के कार्य में संलग्न श्री पिंटूजी से पूछा: "हे प्रभु! इस कलियुग में वास्तविक कर्म रहित मनुष्यों को सैमसंग तथा एप्पल के अतिउपयोग से जुड़े कुप्रभाव से मुक्ति किस प्रकार मिल सकती है? तथा उनका उद्धार कैसे होगा? हे मुनि श्रेष्ठ! कोई ऐसा उपवास या कथा बताइए जिससे थोड़े समय में ही मनवांछित फल मिल जाए। इस प्रकार की कथा सुनने की हम इच्छा रखते हैं।"

सर्व प्रपंचों के ज्ञाता पिंटूजी बोले - "हे मोबाइल यंत्र के उपासकों! आप सभी ने प्राणियों के हित की बात पूछी है इसलिए मैं एक ऐसे श्रेष्ठ व्रत को आप लोगों को बताऊँगा जिसे जनहितकारी प्रशासन के इंटरनेट प्रतिबन्ध के दौरान उपजी जिज्ञासावश विदुषी पांखी ने चिंटू चकोर से पूछा था तथा जिस ज्ञान का प्रकाश चिंटू के चित्त में दो दिवस फेसबुक से विलग होते हे प्रभुकृपा के रूप में डाउनलोड

हुआ। आप सब इसे ध्यान से सुनिए। फेसबुकोपवास का यह डिजिटल व्रत अच्छी तरह विधानपूर्वक करके मनुष्य तुरंत ही सुख भोग कर, वास्तविक कर्म के लिए समय पाता है।"

पिंटू के पावन वचन सुन कलियुग के मनुष्य बोले: "इस व्रत का फल क्या है? और उसका विधान क्या है? यह व्रत किसने किया था? इस व्रत को किस दिन करना चाहिए? सभी कुछ विस्तार से बताएँ!"

श्रीपिंटू बोले - "दिन भर मोबाइल स्क्रीन को अंगुली करने की इच्छा से मुक्ति दिलाने वाला यह व्रत मानव को भक्ति व श्रद्धा के साथ किसी भी शुभ दिन मानसिक शांति के लिए करना चाहिए। मोबाइल की सेटिंग में जा कर इंटरनेट अथवा डाटा को ऑफ करके इसकी शुरुआत की जाती है। मोबाइल को जेब अथवा हथेली से दूर ऐसे स्थान पर रखा जाना चाहिए ताकि उसे छूने की कामना पर नियंत्रण पाया जा सके।"

"बिना इंस्टाग्राम पर व्यंजनों का चित्र पोस्ट किए बंधु-बाँधवों को भी भोजन कराएँ, स्वयं मोबाइल रहित भोजन करें। खिड़की के बाहर उगते सूरज को देखें, समाज और राष्ट्र के लिए लाइक एवं फॉरवर्ड के बदले पता लगाएं की घर में क्या चल रहा है। इस तरह से यथार्थनारायण को प्रसन्न करने वाला यह व्रत करने पर मनुष्य की सारी इच्छाएँ निश्चित रुप से पूरी होती हैं।"

॥इति श्री फेसबुकोपवास कथा प्रथम अध्याय संपूर्ण॥

॥द्वितीय अध्याय॥

पिंटूजी बोले - हे मित्रों! जिसने पहले समय में इस व्रत को किया था उसका इतिहास कहता हूँ, ध्यान से सुनो! सुंदर एप्पल नगरी में एक अत्यंत निर्धन किडनीहीन प्राणी-वीवोनन्द रहता था। मित्रों की पोस्ट्स पर लाइक्स से परेशान वह इंटरनेट पर घूमता रहता था। संत सदबुद्धि एक रात्रि उसके स्वप्न में आए और इस दारुण दुःख को थोबड़े पर लादे व्हाट्सप्प वीर को ज्ञान वर्षा से आनंदित किया।

दीन वीवोनन्द बोला - "मैं लाइक्स रहित जीवन से पीड़ित हूँ। इसकी भिक्षा के लिए वॉल-वॉल पर घूमता हूँ। यदि आप इसका कोई उपाय जानते हो तो बताइए!" संत सदबुद्धि बोले- "डिजिटल व्रत में फेसबुकोपवास सर्वाधिक कल्याणकारी और मनोवांछित फल देने वाला है इसलिए तुम इसे आरम्भ करो। इसे करने से मनुष्य सभी दुखों से मुक्त हो जाता है।"

इस प्रकार स्वप्न में ज्ञानामृत पा कर फेसबुकोपवास संपन्न करने के बाद वीवोनन्द सभी दुखों से छूट गया और अनेक प्रकार की संपत्तियों से युक्त हो गया। उसी समय से वह हर माह इस व्रत को करने लगा। इस तरह से फेसबुकोपवास को जो मनुष्य करेगा वह सभी प्रकार के पापों से छूटकर सभी दुखों से मुक्त हो जाएगा।

॥इति श्री फेसबुकोपवास कथा द्वितीय अध्याय संपूर्ण॥

॥तृतीय अध्याय॥

पिंटूजी बोले - हे डिजिटललोकवासियों, अब आगे की कथा कहता हूँ ध्यानपूर्वक श्रवण करो। पहले समय में सहजजीवन नाम का एक बुद्धिमान राजा था। वह आरामपूर्वक जीवनयापन करता। प्रतिदिन भ्रमण पर जाता और प्रजा से मिल कर उनके कष्ट दूर करता था। एक दिवस मोबाइल के संग नित्यकर्मों में व्यस्त ओप्पो कुमार उसके पास आकर विनय के साथ पूछने लगा - "हे राजन! भक्तिभाव से पूर्ण होकर आप यह क्या कर रहे हैं? मैं सुनने की इच्छा रखता हूँ तो आप मुझे बताएँ।"

राजा बोला - "हे मनुष्य! अपने बंधु-बाँधवों के साथ मोबाइल अथवा टीवी मीडिया से रहित हो अपना सामान्य जीवनयापन कर रहा हूँ। राजा के वचन सुन ओप्पो कुमार आदर से बोला - हे राजन! मुझे इस कठिन व्रत का सारा विधान कहिए। आपके कथनानुसार मैं भी इस व्रत को करूँगा। चौबीसों घंटे मात्र मोबाइल प्रेम के चलते मेरी कोई संतान नहीं है। इस व्रत को करने से निश्चित रुप से मुझे संतान की प्राप्ति होगी। राजा से व्रत का सारा विधान सुन, प्रसन्नतापूर्वक वह अपने घर गया।"

ओप्पो कुमार ने अपनी पत्नी को संतान देने वाले इस फेसबुकोपवास का वर्णन कह सुनाया और कहा कि अगर यूट्यूब, व्हाट्सप्प एवं स्नैपचैट आदि का मोह छोड़ वो भी हर

माह इस व्रत में सहभागी बनेगी तो निश्चय ही उन्हें संतान सुख प्राप्त होगा।

पत्नी सेल्फीवती अपने पति के साथ आनन्दित हो सांसारिक धर्म में प्रवृत होकर गर्भवती हो गई। दसवें महीने में उसके गर्भ से एक सुंदर कन्या ने जन्म लिया। दिनोंदिन वह ऐसे बढ़ने लगी जैसे कि शुक्ल पक्ष का चंद्रमा बढ़ता है. माता-पिता ने अपनी कन्या का नाम पोस्टवती रखा।

एक दिन सेल्फ़ीवती ने मीठे शब्दों में अपने पति को याद दिलाया कि आपने हर माह फेसबुकोपवास करने का संकल्प किया था, आप इस व्रत को करिये। ओप्पो कुमार बोला- "हे प्रिये! इस व्रत को मैं उसके विवाह पर करूँगा।"

इस प्रकार अपनी पत्नी को आश्वासन देकर वह नगर को चला गया। पोस्टवती पिता के घर में रह वृद्धि को प्राप्त हो गई। लेटेस्टआईफोन युक्त सुयोग्य लड़के को देख उसने बंधु-बाँधवों को बुलाकर अपनी पुत्री का विवाह कर दिया लेकिन दुर्भाग्य की बात ये कि तब तक उसने फेसबुकोपवास नहीं किया।

इस पर श्री सहज ज्ञान क्रोधित हो गए और श्राप दिया कि ओप्पो को अत्यधिक दुख मिले। पुत्री अधिकाधिक चैट में संलग्न गृहकार्यों से विलग रहने लगी वहीं जमाई भी किंडर इत्यादि नाना प्रकार के डेटिंग एप्स पर रंगीन चित्रों से

भ्रमित होने लगा। एक दिवस शुभ घडी में पुत्री में मोबाइल यंत्र पर फेसबुकोपवास विधि प्रेषित हुई। उसने अपनी माता से कहा - “हे माता! मैंने एक असामान्य मनुष्य के घर में फेसबुकोपवास देखा है।” कन्या के वचन सुन सेल्फ़ीवती इसकी तैयारी करने लगी। उसने परिवार व बंधुओं सहित यह उपवास किया और उनसे वर माँगा कि मेरे पति तथा जमाई शीघ्र पटरी पर आ जाएँ।

श्री सहज ज्ञान इस व्रत से संतुष्ट हो गए और सपने में दर्शन दे मीठी वाणी में कहा - “हे देवी! भाग्यवश ऐसा कठिन दुख तुम्हें प्राप्त हुआ है लेकिन अब तुम्हें कोई भय नहीं है।” ऐसा कह उन्होंने पठन पाठन के लिए नई पुस्तकों के नाम बताये तथा भ्रमण के लिए नए मित्र-सम्बन्धियों के घर सहित अन्य स्थान सुझाए।

॥इति श्री फेसबुकोपवास कथा तृतीय अध्याय संपूर्ण॥

॥चतुर्थ अध्याय॥

पिंटूजी बोले - एक दिवस डिजिटल वीर (डिवी) ने अपनी यात्रा अर्थात बिजनेस ट्रिप आरंभ की और राजधानी की ओर चल दिया। थोड़ी दूर जाने पर एक दण्डी वेशधारी श्री सहज ज्ञान ने उनसे पूछा - “हे बंधु तेरे हाथ में क्या है?”

हाथ के आई फोन को नचाते हुए अभिवाणी डिवी हंसता हुआ बोला - “हे दण्डी! आप क्यों पूछते हो? क्या लाइक्स

लेने की इच्छा है? मेरे हाथ में तो कचरे का पैकेट है।" ऐसे कठोर वचन सुन सहज ज्ञान जी बोले - "तुम्हारा वचन सत्य हो!" दण्डी ऐसे वचन कह वहाँ से दूर चले गए। उनके जाने के बाद डिवी ने नित्य क्रिया के पश्चात हाथ धोकर जेब टटोली तो मोबाइल के स्थान पर कचरे का पैकेट देख वह मूर्छित हो जमीन पर गिर पड़ा।

मूर्छा खुलने पर वह दौड़ा-दौड़ा दण्डी के पास पहुँचा और अत्यंत भक्तिभाव नमस्कार कर के बोला - "मैंने आपसे जो जो असत्य वचन कहे थे उनके लिए मुझे क्षमा दें," ऐसा कह कहकर महान शोकातुर हो रोने लगा

तब सहज ज्ञानी बोले - "हे अज्ञानी! मेरी आज्ञा से बार-बार तुम्हें दुख प्राप्त हुआ है। तू मेरी संगति से विमुख हुआ है।" डिवी बोला - "हे साक्षात अनुभवों के स्वामी! आप प्रसन्न होइए, अब मैं सामर्थ्य के अनुसार आपकी पूजा करूँगा। मेरी रक्षा करो और इंटरनेट के बिना मोबाइल का वरदान प्रदान करो।" ऐसे वचन सुनकर सहज ज्ञान जी प्रसन्न हो गए और उसकी इच्छानुसार नोकिया 1100 का बेसिक फोन वरदान में देकर अन्तर्धान हो गए।

इस प्रकार, जो प्राणी अपने बंधु-बाँधवों सहित फेसबुकोपवास करता है वो इस लोक का सुख भोग कर परलोक भी सुधारता है।

॥इति श्री फेसबुकोपवास कथा चतुर्थ अध्याय संपूर्ण॥

॥पंचम अध्याय॥

पिन्टूजी बोले - हे डिजिटललोकवासियों! मैं और भी एक कथा सुनाता हूँ, उसे भी ध्यानपूर्वक सुनो! अंगूठे के माध्यम से पोस्ट्स लाइक हुए फॉरवर्ड कर देशसेवा में लीन ढब्बू नाम का एक बालक था। उसने भी सामान्य खेल-कूद त्याग कर बहुत ही दुख प्राप्त किया। एक बार समर वेकेशन में ज़बरदस्ती करवाए ननिहाल प्रवास के दौरान किसी फेक न्यूज़ को ढाई सौ व्हाट्सप्प समूहों में पोस्ट कर वह बड़ के पेड़ के नीचे आया।

वहाँ उसने गाँव के बच्चों को बंधुओं सहित बिना मोबाइल के खेलते देखा। अभिमानवश उन्हें देखकर भी वो उनके पास नहीं गया और ना ही उसने उनसे बात की। जब वह वापस अपने नगर पहुंचा तो वहाँ सारे व्हाट्सप्प ग्रुप्स से मेंबर्स को 'लैफ्ट होते पाया। अधिकांश उसे पहचानने से इंकार कर बैठे। वह शीघ्र ही समझ गया कि यह सब सहज ज्ञान जी ने ही किया है। दौड़ा-दौड़ा वह दुबारा ग्रामीण बच्चों के पास पहुंचा और विधि पूर्वक फेसबुकोपवास किया तो सब कुछ पहले जैसा हो गया।

पिंटूजी बोले - "जो मोबाइल-मनुष्य परम दुर्लभ इस व्रत को करेगा तो उसे धन-धान्य की प्राप्ति होगी। निर्धन

धनी हो जाता है और भयमुक्त हो जीवन जीता है। संतान हीन मनुष्य को संतान सुख मिलता है और सारे मनोरथ पूर्ण होने पर मानव अंतकाल में बैकुंठधाम को जाता है।"

॥इति श्री फेसबुकोपवास कथा पंचम अध्याय संपूर्ण॥

हद तो तब हो गई जब पांखी ने जूस वाले से कहा -
"भईया! एक गिलास गन्ने का जूस देना;
और प्लीज ...मीठा कम डालना!"

स्क्रैप पॉलिसी, 'रामप्यारी' और हम लोग

ये पोस्ट भावुक हो कर लिखी गई है अतः भक्तों को नाराज़ कर सकती है। मोदी जी को बैठे-बैठे कुचरणी करने की क्या सूझती है, जो मुझ जैसे वाहन प्रेमी लोगों के जज़्बातों से खेलने जैसी घोषणाएँ कर डालते हैं! वाहन स्क्रैप पॉलिसी की घोषणा करते हुए उनका दिल ज़रा भी नहीं काँपा? थोड़ा भी रहम नहीं आया उन्हें हमारी भावनाओं का क़त्ल करते हुए!

अब कोई पूछे कि मैं इतना भावुक काहे हुआ जा रहा हूँ! तो, भईया बात ही इन्होंने ऐसी कर दी। डिक्शनरी में मतलब ढूंढा कि एग्जेक्टली कहते क्या हैं स्क्रैप को हिंदी में... काँपते हाथों के बीच शब्द चमक रहे थे: "रद्दी माल"।

कोई हमारी फैमिली की मेंबर की तरह पूरी जवानी हमारी सेवा में खुद को 'गाळ' (पिघला) चुकी 1995 मॉडल वाली अम्बेसेडर कार को रद्दी माल जैसे फूहड़ संबोधन से एड्रेस करेगा?? क्या कार के कोई दिल नहीं होता?! मेरे साथ कई लोग मुंडी हिलाएंगे कि कार में पक्के से दिल होता ही होता है।

मोदी जी शायद ये भूल रहे हैं कि भारतीय और खासकर मारवाड़ी फैमिली वाले जब कार को शोरूम से घर ले कर आने वाले होते हैं तो उसकी तैयारी में भी कितने चोंचले किए जाते हैं! पण्डित जी से शुभ मुहूर्त निकलवाया जाता है, घर की बहन बेटी (सवासणी) को आरती करने और बधाई का नेग स्वीकारने के लिए पीहर बुलाया जाता है, मिठाई मंगाई जाती है, मौली-रोली, कुंकुम तिलक, नारियल और बालाजी या गणेश जी मंदिर का पहला फेरा... पूरे गाजे बाजे के साथ कोई वाहन हमारे परिवार का सदस्य बन कर जुड़ जाता है।

उसके बाद शुरू होती है कहानी अनगिनत मेमोरीज की, जो कि उस कार के कारण क्रिएट की जाती हैं। "अरे, इस कार में हमनें पहली बार कायलाना झील की बारिश देखी थी!" "अरे इस कार में ही तो नन्ही बिटिया को जन्म के बाद घर लाए थे!" "अरे एन वक़्त पे इंटरव्यू देने दिल्ली से बुलावा आया... इसने हमको 8 घंटे फ्लैट में पहुंचा दिया!" हर यादगार घटना जिसमें कार के 'संस्कार' शामिल रहे हों, वो हमारे साथ एक रील की तरह साथ चलता है।

मेरे एक रिश्तेदार ने तो अपनी प्यारी अम्बेसडर का नाम ही रामप्यारी रख रखा था। वक़्त-बेवक्त भाग दौड़ के समय रामप्यारी ही याद आती थी। अब परिवार में इतनी घुलमिल चुकी कार को रद्दी माल वाले गैराज में बेरहम मशीनों के बीच

कुचले जाने की सजा कौन मंजूर करेगा भला! सोच कर ही कलेजा मुँह को आने लगता है।

मुझे याद है। जब मैं आठवीं कक्षा में पढ़ता था और हमारे घर बकरियाँ पाली हुई थीं। बकरी और उसके मेमनों से हमारा लगाव बहुत तगड़ा था। किसी मजबूरी के चलते उनको विदाई देनी पड़ी तो मम्मी जी ने एक जान पहचान वाला परिवार ढूंढा और भीगी पलकों के साथ उनको पूरी भोलावण दे कर बकरियों को विदा किया। लगभग ये ही ट्रीटमेंट उन कारों के साथ हुआ। पारिवारिक मित्रों को इस भावना के साथ पुरानी कार सौंपी गई, कि जब उनको देखने... सवारी करने का मन होगा, तो हमें मौका तो मिल सके!

कुल मिला कर भारतीय कार प्रेमी पुरूष होने के नाते मेरी डिमांड है कि ऐसी किसी स्कीम से परहेज किया जाए। देश की अर्थव्यवस्था के लिए ज़रूरी हो ही, तो इसका कोई सुंदर सा नाम रखा जाए ताकि हमारी भावनाएँ आहत ना हो।

पुरानी सरकार अच्छे नाम रखती थी। वो म्यूजिकल भी होते थे। मनरेगा, नरेगा... सुनने में भी कितना संगीतमय लगता है ना! जैसे किसी राग का आरोह-अवरोह सुन रहे हों। वाहन स्क्रैप पॉलिसी को भी 'रागा वाहन विदाई योजना' जैसा कोई सुंदर नाम दे कर इसे 'रद्दी माल' जैसे भद्दे विशेषण से दूर रखा जाए।

पिंटू हैरान...

"ATM कार्ड ब्लॉक हो गया और

कस्टमर केयर वाली बोली:

"नजदीकी

शाखा से संपर्क करो..."

(ये देखो फासीवाद, ATM कार्ड भी अब RSS बाँटेगी!)

लालच-लड्डू, गोंद-गडरा

भारत और पाकिस्तान की सीमा से सटा ये कस्बा यहाँ के स्पेशल लड्डुओं के चलते कहावतों में मशहूर है। ये बाड़मेर का गडरा रोड है।

बचपन से राजस्थानी बडेरों से सुनने को मिल जाती थी वो कहावत: "गडरा रा लाडू खावण ने आयो हो कई?" ...इसका क्या मतलब?

भाई! जहाँ पर रिस्क लेना जरूरी नहीं था, वहाँ ले ली... फिर अगर फँस गए तो ज्ञानी लोग उस विक्टिम को ये डायलॉग कह कर ताना मारते थे। मतलब ये कि अगर रिस्क उठाने के पीछे गडरा के स्वादिष्ट लड्डू खाने की इच्छा रही हो, तब तो जोखिम लेना ठीक भी है... वरना, काहे को इतनी रिस्क ली!

कहने वाले तो ये भी कहते हैं कि विभाजन के कई दशकों तक इंटरनेशनल बॉर्डर की पाकिस्तान वाली साइड से ग्रामीण लड्डू लेने के चक्कर में गडरा तक पहुंच जाते और गाहे-बगाहे सुरक्षा एजेंसियों की पकड़ में आ जाते। चटोरी जुबान क्या-क्या कारनामे नहीं करवा देती! लेकिन, बॉर्डर क्रॉस करना, वो भी लड्डू खाने के लिए!! ये थोड़ा ज़्यादा वाला रिस्क मालूम होता है।

हाल ही में जब गडरा रोड के शिव चौराहा पर स्थित प्रसिद्ध प्रतिष्ठान श्री अमोलक स्वीट्स पर रुकना हुआ तो संचालक शेखर माहेश्वरी जी से इस स्वाद भरे इतिहास पर जम कर बातें हुईं।

उन्होंने बताया कि गडरा रोड़ में लडडू बनाने का यह कार्य पीढ़ियों से जारी है। 1965 में पाकिस्तान से विस्थापित होकर आए अमोलक दास भूतड़ा ने भारत में इसको शुरू किया और लड्डुओं की खुशबू सीमा पार तक फैल गई।

इन लड्डू में उड़द की दाल, फीका मावा, देशी घी, शक्कर, गोंद, खसखस और मेवे मिलाकर बनाया जाता है। कैलोरी मीटर साथ ले कर चलने वाले शहरी दोस्त यहाँ का एक लड्डू खा कर 'फुल मील' वाली फीलिंग ले सकते हैं। बॉर्डर पर तारबंदी हो जाने के कारण जान हथेली पर रख कर सीमा पार से आने वाले चटोरे अब आना बंद हो गए हैं।

रेतीले विस्तार की थार चुनरिया में जड़ा... गडरा एक नगीना है।

पिंटू प्रवचन:

"हर किसी को सफ़ाई मत दीजिये! आप इंसान हैं, डिटर्जेंट नहीं..."

एक प्रेम कहानी

इंटरनेट पे एक फ़ोटो देखी तो मुझे मेरी प्रेम कहानी की शुरुआत याद आ गई। किताबों से प्रेम की कहानी। बात उन दिनों की है जब मैं पाँचवी कक्षा में डीडवाना की पीलथि स्कूल (सरकारी न. 2) में पढ़ता था। स्कूल की छुट्टी के बाद घर पहुँचना और फिर बेताबी से इंतज़ार करना शाम होने का।

शाम को ही तो मिलन होता था ...सैंकड़ों किताबों की ख़ुशबू से! डीडवाना की पब्लिक लाइब्रेरी खुलती थी उससे पहले ही मैं उसके धूल भरे बरामदों में चप्पल से तरह तरह की डिज़ाइन बनाता अधीर प्रेमी की तरह टहलता रहता। लायब्रेरीयन जी आते तो उनके ताला खोलने के साथ ही मैं उनके असिस्टेंट की तरह अंदर घुस जाता।

उनको मानो पता ही होता था कि मैं उनका इंतज़ार करता हुआ मिलूँगा। शायद इसीलिए बिजली और पंखों के स्विच ऑन करने और खिड़कियाँ खोलने जैसे छोटे काम वो मुझे बिना टोके करने देते। छोटे बच्चों को वहाँ बैठ कर बुक्स पढ़ने की इजाज़त थी लेकिन मेरे मामले में उदारता दिखाते हुए वे मुझे बुक्स घर ले जाने की छूट दे देते।

वहाँ चंपक, नंदन और पराग के पुराने अंकों को 12-12 के सेट बना कर मोटे पोथे के रूप में रखा जाता था। मैं उन पोथों में से चुन कर कोई सेट घर ले आता और फिर लमम्म्मबी साँस के साथ पुराने पन्नों की सौंधी महक को सीने में बस जाने देता। ये लाइब्रेरी भी ग़ज़ब थी। प्रेम कहानी के उस शुरुआती दौर में वहाँ मेरा मिलन "राग दरबारी" उपन्यास से हुआ जो उस समय आधा अधूरा समझ आया लेकिन बाद में उसने मुझे लिखना भी सिखाया।

कुछ साल और बीते और इस प्रेम कहानी को हवा दी चौपासनी स्कूल (जोधपुर) ने। यहाँ प्रिन्सिपल रणवीर सिंह जी ने 8वीं के बच्चों के लिए उपन्यास कम्पल्सरी कर रखी थीं। "उपन्यास पढ़ोगे तो दुनिया क्या होती है ये पता चलेगा," वो कहते।

कॉलेज आते-आते ये प्यार शिखर पर पहुँच गया। लेकिन यहाँ स्पेशल ट्रीटमेंट देने वाले लायब्रेरीयन कहाँ से लाता! बिगड़ ना जाऊँ इस गरज से जेबखर्च कटौती के साथ मम्मी ने भी चेतावनी दे डाली थी कि "किताबों का शौक़ पूरा करना है तो ख़ुद कुछ कमाओ!" ट्यूशन पढ़ा कर कुछ पैसे जेब के हवाले करता तो फिर वो ही बेचैनी ...बुक्स कहाँ से लाई जाए!

इस प्रेयसी से मिलन की चाह ने मुझे जोधपुर में घंटाघर के पास लगने वाली कबाड़ी की दुकानों तक पहुँचा दिया।

मज़ेदार ये भी होता कि मैं घर वालों को अख़बार की रद्दी बेचने नहीं देता। उसकी पहरेदारी करता और जब ठीक ठाक रद्दी जमा हो जाती तो फिर उस बंडल को घंटाघर ले जा कर बेचता। जो पैसे मिलते उसमें से आधे कबाड़ख़ाने से पुरानी-सस्ती बुक्स ख़रीदने में काम आते।

वहाँ हरीश बुक डिपो के मनोज और हरीश भी मेरे प्रेम को हवा देते ...उनकी कबाड़ी बुक्स शॉप पे मेरा उधार खाता कई साल चला। मैं जब मन होता हज़ारों किताबों के ढेर पे बैठा किताब दर किताब चुनता रहता। पैसे होते नहीं तो खाते में लिखने को कह देता। बी॰एस॰सी॰ करते हुए घंटाघर के ख़ज़ाने से हज़ार -डेढ़ हज़ार बुक्स मेरे पास हो गईं तो मैंने बक़ायदा "निजी पुस्तकालय" रबड़ स्टैम्प बनवाया और बुक ले कर वापस नहीं लौटाने वाले दोस्तों के नाम वाली "डूबत खाता" लिस्ट भी बनाई।

प्रेम कहानी चालू है!

पिंटू: "हैप्पी टीचर्स डे, आज मैं जो भी हूँ, आपकी बदौलत हूँ..."

गुरुजी: "मुझे दोष मत दो
मैंने तो अपनी पूरी कोशिश की थी"

एक खूबसूरत सपने की मौत

राजस्थान में सफर करते हुए कई बरसों बाद देवगढ़ मदारिया के मीटर गेज से जुड़े रेलवे स्टेशन जाना हुआ। यादों की रील चल पड़ी।

उन दिनों, जब देश के गिने चुने सेक्शन्स में भाप वाला काला इंजिन काम में लाया जाता था, ये रूट जोधपुर से उदयपुर जाने वाली रेलगाड़ियों के लिए काम आता था। जोधपुर से चढ़ने वाले पैसेंजर्स को मारवाड़ जंक्शन पर ट्रेन बदलनी पड़ती थी। लेकिन फुलाद स्टेशन आते-आते ये यात्रा एक पिकनिक में तब्दील हो जाती।

फुलाद पर, क्योंकि 180 डिग्री के लगभग मोड़ था इसलिए, इंजिन को एक सिरे से हटा कर दूसरे सिरे में जोड़ने में लगभग आधा घंटा लग जाता। सारे यात्री फुलाद पर इस 'शंटिंग एंड रोटेटिंग' कार्यक्रम का आनंद लेने उतर जाते। जल्दबाजी किसी को नहीं होती। फुलाद पर चाय पकोड़े के साथ वहां के स्टेशन का प्रसिद्ध दूध-मावा खाया जाता।

ये कार्यक्रम पूरा कर, छुक-छुक करते... काला धुआँ उड़ाते इंजिन के साथ पांच या छह डिब्बों की ट्रेन आगे की यात्रा पर रवाना होती तो नए यात्री भी समझ जाते की घाट सेक्शन शुरू हो चुका है। कई बार तो चढ़ाई पर इंजिन इतना हाँफने लगता कि मेरे जैसे दयालु यात्री का मन करता कि उसकी हेल्प करने के लिए रेंग रही ट्रेन से उतर कर उसको धक्का लगा दिया जाए।

फुलाद के बाद जैसे जैसे गाड़ी आगे बढ़ती, हम अचरज से भरे ये विश्वास करने की कोशिश कर रहे होते की थार मरुस्थल के प्रवेश द्वार जोधपुर से सिर्फ 100-120 किलोमीटर दूर इतना प्यारा हिल स्टेशन मौजूद है। गोरम घाट का स्टेशन अंग्रेजों के जमाने के इंजीनियरिंग कौशल की याद दिलाता। वहाँ काले मुँह वाले हनुमान लंगूर, ट्रेन के आसपास जमा हो जाते और इंजिन भी साँस लेने के लिए वहाँ 10 मिनट रुक जाता। लोग अपने थैलों से बंदरों को बिसकिट्स, केले या पूड़ियाँ देते और रील वाले कई कैमरे इस अनूठे पल को कैद करने लगते।

अगर मौसम मानसून और रामदेवरा की यात्रा का होता तो आपको गाड़ी के अंदर सफर कर रहे यात्रियों से ज़्यादा यात्री छत पर ज़रूरत से ज़्यादा रिस्क उठा कर सफर करते मिल जाते। अंदर और ऊपर वाले पैसेंजर... सभी मिल

कर इंजिन की सीटी के साथ सुर मिलाकर समवेत सुर में चिल्लाते और सफर का मज़ा दोगुना हो जाता।

ये चिल्ला-चिल्ली दो सुरंगों में से हो कर गुजरने पर पीक पर पहुंच जाती। कभी इस तरफ की खिड़की तो कभी उस तरफ की... साँप सी लहराती गाड़ी के साथ कब दीदी का ससुराल-देवगढ़ आ जाता, पता ही नहीं चलता।

फ़्लैश बैक में उन यात्राओं को याद करते हुए, परसों जब मैं देवगढ़ स्टेशन पहुँचा तो पता चला कि अब यहाँ कोई ट्रेन नहीं आती। गेज़ परिवर्तन की कोई संभावना नहीं है और 'पधारो म्हारे देस' से 'जाने क्या दिख जाए' तक पहुंच चुके टूरिज्म कारपोरेशन की प्लानिंग में भी घाट सेक्शन में हेरिटेज ट्रेन एक्सपीरिएंस को फिर से जीवित करने की कोई योजना नहीं है।

कुछ सालों में गोरम घाट का स्टेशन भी इसी तरह खंडहर हो जाएगा। हनुमान लंगूर तो रेल की पटरियों पर तय समय पर आना कब का बंद कर चुके होंगे!

"सुंदर सपनों की हत्या करने में हमको महारथ हासिल है।" ये उसी कड़ी में एक और सपना है।

पिंटू के ख़त पांखी के नाम...

"सोचा था हर मोड़ पे

"याद" करेंगे आपको,

पर कमबख्त पूरी सड़क सीधी थी,

कोई मोड़ ही नहीं आया!"

भूल जाइए मॉल, ये है देसी मार्ट, 'तिलवाड़ा मेला'

थार रेगिस्तान में फैली लूणी नदी के सूखे विस्तार को देखते और कार के इर्दगिर्द टेंप्रेचर को पैंतालीस का आंकड़ा पार करते देखते मैं कुछ सोच पाऊं तभी कार को रोक कर न्यूट्रल में डालते हुए ड्राईवर ने जैसे सोते से जगाया: "आगे जाम लगा है। थोड़ा समय और लग जायेगा पहुंचने में।"

जाम! और वो भी इस रेगिस्तानी गाँव के मुहाने पे? मैंने गरदन तिरछी करते हुए आगे और पीछे नजर डाली तो अहसास हुआ कि हम सचमुच एक जीप, ट्रैक्टर, मोपेड, ऊंटगाड़ी और कारों की रेलमपेल के बीच खड़े हैं। भले ही कोविड़ के बाद जयपुर और बंगलौर के भव्य मॉल के चमचमाते शो रूम्स पर ग्राहकों की आवक का अब भी इंतजार हो, लेकिन ये बाड़मेर का तिलवाड़ा है जनाब। यहां इन दिनों मल्लीनाथ का पशु मेला अपना जलवा बिखेर रहा है। मानो, वॉलमार्ट जैसे ब्रांड्स की चमक को अपने तरीके से फीका करते हुए या मार्केटिंग गुरुओं को अपने फंडे क्लियर करने की चुनौती दे रहा हो।

मेले में पहुंचने से पहले आपको एक बात साफ हो जाएगी। वो ये, कि यहां पर मेला मैनेज करने का मुख्य जिम्मा खुद मेलार्थियों ने ही उठा रखा है। पार्किंग एरिया पूरा भर चुका है तो क्या चिंता! आप अपनी गाड़ी को कई वर्ग किलोमीटर फैले रेतीले विस्तार में कहीं रख कर बेफिक्र मेला घूमने निकल जाइए। हमने भी वही किया और पहले ही कदम पर हम मानों एक दूसरे यूनिवर्स में पहुंच गए। दोपहर की इस आकरी धूप में, जब जलती रेत आपकी परीक्षा लेने को आतुर हो, तब भी यहां की रौनक देखने लायक थी।

हजारों की तादात में पहुंचे लोग मानो अपने इर्द गिर्द एक इंसुलेशन कवर ओढ़े गर्मी से बेखबर उस सिंफनी में डूबे नजर आते हैं जो आपको टाइम मशीन में बिठा कर कई दशक पीछे ले जाती है।

मेले का पैनोरमिक व्यू लेते हुए मटमैली सड़क के दोनों तरफ आपको दो पैटर्न नजर आएंगे। एक तरफ तिरपाल और मोटे कपड़े से बने रंग बिरंगे छोटे बड़े स्टॉल्स की दुनिया है। वहीं दूसरी तरफ फाइबर और फैब्रिकेशन की सहायता से एक कतार में खड़े सफेद सरकारी स्टॉल्स। मेरे आगे चल रहे ज्यादातर लोग रंग बिरंगी देसी स्टॉल्स वाली साइड का रुख कर रहे थे, लिहाजा मैंने भी वही किया।

सबसे पहले हमें जिन स्टॉल्स की कतार नजर आई उनमें ताजे सिके हुए चनों के बड़े ढेर के बीच मखानों की ढेरियां मौजूद थीं। एक स्टॉल पर अंजुली भर कर चनों को सुनहरी चमक दिखा रहे दीपा राम ने बताया कि वे मध्य प्रदेश से यहां पहली बार आए हैं और शुरुआती दिनों की बिक्री से बहुत खुश हैं। "खर्चा भी निकल जायेगा और कुछ खरीद भी हो जायेगी," दूर बंधे मालाणी नस्ल के घोड़ों की तरफ इशारा करते हुए उन्होंने कहा।

चनों की सौंधी महक आप अपने भीतर महसूस करते हुए आगे बढ़ेंगे तो सबसे पहले तलवारों, कैंचियों और चाकुओं को धार देते और परखते हाथों की तरफ आपका ध्यान जायेगा। अपने कौतूहल को शब्द देते हुए मैंने पूछ ही लिया, "इतनी सुंदर सजावट वाली म्यान और मूठ! क्या अब भी इनकी मार्केट में डिमांड है?" मेरे सवाल को नादानी समझ कर संक्षेप में निपटाते हुए इंदर सिंह ने कहा, "हर स्टॉल पर खड़ी भीड़, केवल नजारा नहीं देख रही है। वो मोलभाव करने वाले असली ग्राहक हैं।"

इन स्टॉल्स से थोड़ा आगे जाने पर आपको ग्रामीण भारत के परंपरागत कामधंधों की बहती धारा के दर्शन हो जायेंगे। चमड़े की क्वालिटी के बारे में टिप्स देते हुए जूतियां गांठ रहे रमेश हों, घोड़ों की काठी बनाने में काम आई कुशलता का बखान करने वाले करीम हों या कि फिर लोहे के बड़े बर्तन बेच

रहे पुरुषोत्तम... सभी के पास अपने हुनर से निकले उत्पाद थे। और सबसे बड़ी बात, ये अच्छी खासी वैरायटी के साथ सजे हुए थे।

उन्हीं बड़ी स्टॉल्स के बीच रास्ते के दोनों तरफ आपको एक छतरी, चार लकड़ियों पर टिके पॉलीथिन या बोरी के टुकड़े पर सजी छोटी छोटी दुकानें और रेहड़ियां नजर आ जायेंगी। यहां देसी टैटू बनाने वाले बहुत डिमांड में हैं। उनके बीच रंग बिरंगे धागों से तुरत फुरत बनने वाले रिस्ट बैंड और खिलौने अच्छी खासी भीड़ खींच रहे हैं। फूड स्टॉल्स पर आपको मूंग दाल पकौड़े और कचोरी जैसी देसी वैरायटी के बीच साउथ इंडियन व्यंजन भी आराम से मिल जायेंगे।

इन सभी बड़ी दुकानों के बीच असली काम को हम कैसे भूल सकते हैं! और वो है दूर दराज से आए पशुओं की परख करते हुए मोलभाव करना। ये काम एक झटके में नहीं होता। रुचि जाहिर करने से लगा कर सौदा तय होने तक, कई राउंड की बातचीत और बारगेनिंग होती है। घोड़ों, ऊंटों, गायों और बैलों की सजावट कर उन्हें ग्राहकों के लिए भरपूर आकर्षक बनाया गया है।

ग्रामीण जीवन के देसी रंगों में टेक्नोलॉजी का तड़का लग ही चुका है, इसीलिए यहाँ पर भी सेल्फी लेने वालों और मोबाइल पर फेसबुक लाइव करने वालों की भरमार मिलेगी।

लेकिन इन सब के बीच मेले की असली ठसक ज़्यादा किसी मिलावट के बगैर यहाँ मौजूद है।

हर वर्ष चैत्र सुदी एकादशी से शुरू होने वाला यह मेला 15 दिनों तक लगता है, पर पिछले कुछ अरसे से दसवें दिन के बाद से ही ये सिमटना शुरू हो जाता है, स्थानीय निवासी माना राम मालाणी नस्ल के घोड़े को सहलाते हुए कहते हैं, "इस बार पशुओं की आवक अच्छी हुई है और हम उम्मीद करते हैं कि मेले की रौनक कायम रहेगी।"

रोचक पहलू यह भी है कि माना राम और उनके साथी पशुपालक मेले की मंद होती चमक के लिए मोबाइल फोन को जिम्मेदार मानते हैं। उनके अनुसार वो जमाना और था जब आपको घोड़ा, गाय या ऊंट बेचना हो तो आप मेले तक इंतजार करते और सैकड़ों किलोमीटर से पशुओं को तिलवाड़ा तक लेकर आते थे। "अब तो सरकार ने छोटे-छोटे गांव में भी हर हाथ में ये झुनझुना पकड़ा दिया है। पशुपालक आपस में संपर्क में रहते हैं और सौदा पटने पर अपने गांव में बैठे-बैठे ही तय कर लेते हैं।"

चने के ऊंचे ढेर, निवारों के रंग बिरंगे स्टॉल्स, कृषि उपकरणों की सजावट, देसी वाद्‌य यंत्रों की बिक्री और पशुओं की सजावट और देखरेख से जुडी सारी सामग्री आपको इस जगह मिल जाएगी। एक बात ज़रूर है: कुर्ते की जगह टी

शर्ट का बोलबाला, ओढ़नियों की जगह चुन्नी या टॉप, पगड़ी की जगह कैप और धोती की जगह अब जींस आपको ज़्यादा मिलेगी।

अपनी मूँछों पर ताव दे कर नुकीली करते हुए सुखवीर कहते हैं, "इनका फोटो भी खींच लो! कुछ सालों में ये भी गायब होती नज़र आएँगी। मूछों को वैसे भी मोबाइल ढँक चुके हैं। कुछ सालों में मेलों की जगह मॉल आ जायेंगे। लेकिन तब तक ठंडी हवा के झोंके की तरह तिलवाड़ा का मेला हमें टाइम मशीन में बैठा कर अतीत के गौरवशाली पन्नों की सैर कराता रहेगा।

पिंटू वाणी: "हर सफल आदमी के पीछे औरत होती है, और असफल आदमी के सामने ...रिश्तेदार."

“स्कूटर का सपना और वो... वेटिंग लिस्ट”

इंसान की फ़ितरत का क्या कहें! पुराने स्ट्रगल जल्दी ही भूल जाता है। अब आप नई पीढ़ी को 1980 के आसपास के किस्से सुनाते हुए अगर ये बताएंगे कि भारत देश में ऐसा वक़्त भी था कि रेडियो-ट्रांजिस्टर खरीद कर सुनने के लिए लाइसेंस लेना पड़ता था, साईकल के भी रेजिस्ट्रेशन टैग लगाना पड़ता था और स्कूटर... उसके नखरे तो निराले ही थे!

बजाज का प्रिया या चेतक स्कूटर खरीदने का मन हो, जेब में रुपए भी हों... फिर भी बुकिंग अमाउंट डिपाजिट करने के बाद 6 से 10 साल का वेटिंग पीरियड बेचैनी से गुजारना पड़ता था। मेरी पीढ़ी वाले तो इस पर भरोसा भी करेंगे और इससे मिलती जुलती और कहानियां भी बता देंगे।

तो आज याद किया जाए बजाज कंपनी के चेतक स्कूटर को। महाराणा प्रताप के स्वामिभक्त घोड़े चेतक से प्रेरित हो कर इसका नाम तय किया गया। इसकी लोकप्रियता इतनी अधिक थी कि शोरूम से बाहर आते ही इसकी कीमत का दोगुना पैसा देकर इसे आगे बेचा जा सकता था। कई लोग

तो इसे गोल्ड की तरह लाभदायक इन्वेस्टमेंट का तरीका मानते थे।

देश में लाइसेंस राज (1951-1991) के चलते निर्माताओं को अपनी इच्छा से उत्पादन बढ़ाने की अनुमति नहीं थी। ये सरकारी रोड़ा, चेतक स्कूटर के लिए 10 साल तक की वेटिंग लिस्ट के लिए भी जिम्मेदार था, जो शायद एक विश्व रिकॉर्ड हो।

वेटिंग पीरियड लंबा होने के कारण इसकी वैल्यू इतनी ज्यादा मानी जाने लगी थी कि शादी में दहेज की (कु)प्रथा को पूरा करते हुए माध्यम वर्गीय परिवार अपनी लिस्ट में डबल बेड और सोफा सेट के पहले चेतक स्कूटर को रखते।

'चेतक' का मालिक इंस्टेंट (वेटिंग लिस्ट के बिना) होने के कुछ तरीके थे: एमपी या मिनिस्टर साब का रिकमंडेशन लैटर या सरकार को 500 डॉलर (प्रति ग्राहक) की विदेशी मुद्रा प्राप्त करने की योजना, जिससे एक आउट-ऑफ-टर्न स्कूटर आवंटन प्राप्त करने की अनुमति मिल जाती थी। हालाँकि इन तिकड़मों में भी कतार काफी लंबी थी।

उस समय, बजाज का जलवा कुछ अलग ही था। देश में इसके लगभग 600 डीलर थे और बजाज ऑटो, भारत का प्रमुख दुपहिया वाहन निर्माता था। 'चेतक' के अलावा केवल एक और चीज जिसकी डिलीवरी की वेटिंग 8 या

10 साल थी, (वो भी कुछ समय के लिए) वो... प्रीमियर पद्मिनी कार थी।

फिर आया 1990... चेतक तत्काल शोरूम में उपलब्ध होना शुरू हुआ। कंपनी ने अखबारों में प्रमुखता से विज्ञापन के साथ घोषणा की कि बजाज ऑटो दुनिया के सबसे बड़े स्कूटर निर्माता के रूप में उभरा है और चेतक के लिए बोल्ड लेटर्स में 'नो वेटिंग' का भी उल्लेख किया।

आज, सिचुएशन बिल्कुल अलग है। आप बस फोन कर दें और पैसा चुकाने की सामर्थ्य का संकेत भर कर दें। शोरूम से स्कूटर, मोटरसाइकिल, कार या फिर ट्रक... आपके घर की चौखट तक डिलीवर कर दिया जाएगा।

लाइसेंस राज को सादर श्रद्धाञ्जलि।

अथः पिंटू उवाच:

"कुछ लोग गर्दन पर भारी मात्रा मे
पाउडर लगाकर ऐसे निकलते हैं....
जैसे किसी कैरम प्रतियोगिता में
कैरम बोर्ड की भूमिका अदा करने जा रहे हों."

पगड़ी वाले अनूठे स्कूल के नाम

शायद कुछेक स्कूल्स ही ऐसे अनूठे होते हैं कि वहाँ से निकले स्टूडेंट्स हर जगह उसको दुनिया का महानतम स्कूल बताते फिरें। मेरे स्कूली दिनों की सबसे यादगार पारी जोधपुर के चौपासनी स्कूल से जुड़ी हुई हैं। यहां के पौलेट (खाटा) हाउस में हॉस्टलर की तरह रहने के दौरान कितनी बदमाशियां की होंगी हमनें! कोई गिनती ही नहीं। चौपासनी स्कूल आपको खुद की तरह खिलने का पूरा मौका देता था। विशाल कैम्पस, हेरिटेज बिल्डिंग, खुद का स्टेडियम, ग्यारह से ज़्यादा फुटबॉल ग्राउंड्स, हॉकी ग्राउंड और न जाने क्या-क्या...

बचपन के दिनों की याद ताजा करनी हो तो सबसे अच्छा तरीका है कि अपने पुराने स्कूल घूम आओ।

जोधपुर के चौपासनी (मयूर) स्कूल जा कर जैसे अपने सबसे अनूठे स्कूली अनुभव को फिर से ताज़ा कर लिया। इसके हर क्लासरूम, हर गलियारे, हर ग्राउंड और हॉस्टल्स के हर हिस्से से ना जाने कितने ही किस्से जुड़े हुए हैं। पौलेट हाउस, जिसके कमरा नंबर 12 में अपने पाँच साथियों

के साथ मैं रहा करता था, उसको दूर से देख कर अचानक सारी घटनाएं रील की तरह आँखों के सामने घूम गईं।

सुबह नाश्ते के लिए लाइन में लगने, क्लासरूम की शरारतों से लगाकर पीटीआई सर से खाए जाने वाले डंडों... और इस खाटा हाउस की विश्वप्रसिद्ध कढ़ी की और खीर तक... सबकी याद आ गयी।

कौन सोच सकता है कि जोधपुर जैसे मरुस्थलीय इलाके में सैंकड़ों बीघा में फैले इस विद्यालय कैंपस में भारत के बेहतरीन स्कूल्स को टक्कर देने वाले संसाधन मौजूद रहे हैं। इस स्कूल ने देश को कितने ही जांबाज़ सैन्य अफसर, कितने ही राजनेता और अधिकारियों के अलावा जानेमाने खिलाड़ी दिए हैं।

सबसे अनूठी बात ये कि आज भी इस स्कूल के बच्चे हर सोमवार राजस्थान के शान की प्रतीक केसरिया पगड़ी (साफा) पहन कर स्कूल आते हैं। ये उस दिन उनकी यूनिफार्म का हिस्सा होती है।

पिंटू अपील: "मत ढूंढो मुझको, इस दुनिया की...
तन्हाई में!
(ठण्ड बहुत है, मैं यहीं ठीक हूँ ...अपनी रजाई में.)

“कितने ‘खेतड़ी’ मूर्च्छित कर डाले हमनें!”

आज जब हम आत्मनिर्भर भारत के सपने को ले कर आगे बढ़ने की बात करते हैं तो हमें उन पिछले उदाहरणों को ध्यान में रखना होगा जहाँ दूरदृष्टि, सहयोगी नीतियों और सकारात्मकता के अभाव में उन परियोजनाओं ने असमय दम तोड़ दिया जिनमें देश को किसी एक क्षेत्र में आत्मनिर्भर बनाने की क्षमता थी। राजस्थान का खेतड़ी कॉपर काम्प्लेक्स इसका एक उदाहरण है।

जियोलॉजी के स्टूडेंट होने के नाते फील्ड विज़िट के लिए मुझे खेतड़ी की कॉपर माइंस में जाने का उस समय मौका मिला, जब यहाँ से तांबे का उत्पादन पूरे यौवन पर था। माइनिंग एरिया और स्मेल्टर के आसपास पूरा नगर बसा हुआ था, जो मेटल माइनिंग से उपजी समृद्धि की कहानी कहता था। वहाँ जाकर सच में लगता था कि आधुनिक भारत के किसी ‘औद्योगिक तीर्थ’ पर पहुँच गए हैं।

उसके बाद जो कुछ हुआ उसके कुछेक तथ्य एक खबर में मिलते हैं जिसके अनुसार खेतड़ी को हम मूर्च्छित कर

चुके हैं। क्या हम, एक देश या एक समाज के रूप में कभी भी नहीं सोचते कि देश को किसी भी क्षेत्र में आत्मनिर्भर बनाने की तरफ जब भी कोई कदम बढ़ता है तो क्यों उसमें कोई रोड़ा आ जाता है या... सुनियोजित तरीके से कोई बड़ी अड़चन खड़ी की जाती है? हमनें उद्योगों और व्यवसाय करने को हमेशा अर्थव्यवस्था के लिए अच्छा बताया है। लेकिन, क्या सच में देश आत्मनिर्भरता की तरफ बढ़ते कदमों को काँटों से रहित रास्ता दे पाया है?

पब्लिक सेक्टर के उपक्रमों की बात की जाए तो ऐसे अनगिनत उदाहरण मिलेंगे जहाँ समृद्धि के सपनों की भ्रूण हत्या... कभी खोखले विरोध या नासमझी भरे फैसलों के कारण हुई। जिन कर्मवीरों ने अपने उद्यमिता कौशल को काम में लेते हुए कुछ करने की कोशिश की, उनको आलोचनाओं और अड़चनों के कितने पहाड़ चढ़ने पड़े, ये आप उन्हीं से पूछ सकते हैं।

चीन से तुलना करना बहुत आसान है। लेकिन चीन के Ease of doing business - सहज व्यवसाय की व्यवस्था को हम शायद ही कभी लागू कर पाएं। किसी भी लोकतंत्र में शायद ही वैसा मॉडल संभव हो। लेकिन, कोई बीच का रास्ता तो निकाला ही जा सकता है। मेरे एक दोस्त अपने बिजेनस प्रोजेक्ट को शुरू करने के लिए 50 दस्तावेजों और 36 मंजूरियां हासिल करने और कदम कदम पर खड़ी की

गई अड़चनों के बाद अब कसम खा चुके हैं कि वो अब एंटरप्रेन्योरशिप को दूर से नमस्कार करेंगे।

मेरे कई पत्रकार और पर्यावरण जागरूक दोस्तों से कई बार मैं सवाल करता हूँ: "क्या बंगाल के सिंगुर की चिंता अब किसी को नहीं है? क्या टाटा के प्लांट को ना लगने देने से वहाँ की समस्याओं का अंत हो चुका है? वहाँ जाकर गरीबों के मसीहा बनने वाले अब कभी महानगरों से निकल कर वापस वहाँ जाते हैं? क्या उन्होंने कोई समाधान दिया है?" मुझे जवाब नहीं मिलते हैं।

टूटे सपनों की कई कहानियाँ बिखरी हैं। आत्मनिर्भर बनने के लिए अगर यात्रा शुरू करनी है तो पहले हमें इस माइंडसेट से बाहर आना होगा जहाँ गरीबी को हमेशा महिमामंडित किया जाता है और व्यवसाय, उद्योगों को हमेशा संदेह की नज़र से देखा जाता है।

भारत में कई खेतड़ी खड़े हो सकते हैं और कई मूर्च्छित होने से बच सकते हैं। हम सोच को बदलें तो सही...

पिंटू डायरी:

"याददाश्त बढाने के लिए रात को बादाम भिगोकर रखे..."

सुबह खाना ही भूल गया।

सोलह बरस की बाली (बाड़मेरी) उमर...

राजस्थान के बाड़मेर की सड़कों पर बिखरी चहल-पहल और मेट्रो सिटी को मात देती इमारतों को देखता हूँ तो मुझे अनायास ही, कई साल पहले का दिन याद आ जाता है। वो 14 जुलाई का दिन ही तो था, जब 2005 में, हिंदुस्तान टाईम्स के रिपोर्टर पद से निवृत हो कर मैं, कामकाज की दिशा बदलते हुए जोधपुर से बाड़मेर आया था। केयर्न एनर्जी (एडिनबर्ग-यूके मूल वाली कंपनी) ने ऐतिहासिक मंगला तेल क्षेत्र की खोज की ही थी। उनके कम्युनिकेशन हेड डेविड निस्बेट (Ex BBC) के ऑफर पर, जियोलॉजी सब्जेक्ट से अपने जुड़ाव को परोक्ष तरीके से पुनर्जीवित करने की मंशा लिए मैंने 14 जुलाई, 2005 को ही केयर्न जॉइन की।

तब से लगाकर आज तक का सफर जीवन के लक्ष्यों और हमारी कोशिशों के प्रति मेरी धारणा को बदलने वाला रहा है। मेरी सोच को बदलने का काम उस जादुई नगरी ने किया है, जिसका नाम बाड़मेर है।

2005 में एक उनींदे से बड़े कस्बे जैसा दिखने वाला बाड़मेर आज 'रॉकेट स्पीड-रेजर शार्प' स्टाइल में ऊँचे लक्ष्यों को तय करता नज़र आता है। उन दिनों, कंपनी ने हम सभी ऑफिसर्स को स्टेशन रोड स्थित कैलाश सरोवर होटल में टिकाया। यहाँ एयर कंडीशन सुविधा वाला कमरा मिलना एक लक्ज़री था। इसके अलावा बाड़मेर में आवास व्यवस्था का कोई समान विकल्प भी मौजूद नहीं था।

बाड़मेर के कर्मवीरों ने तेल और गैस भंडारों के साथ पैदा हो रहे अवसरों को पहचाना और समृद्धि के रास्ते पर कदम बढ़ाने शुरू किए। उन्होंने उन सभी धारणाओं को झुठलाया, जो 2004 तक इस जिले के बारे में आधिकारिक तौर पर जताई जाती थीं। प्लानिंग कमीशन की रिपोर्ट में इसे 'डिस्ट्रिक्ट विथ जीरो इंडस्ट्रियल पोटेंशियल' (शून्य औद्योगिक संभावना वाला जिला) और सरकारी कर्मचारियों के लिए पनिश्मेन्ट पोस्टिंग (काला पानी की सजा!) वाली जगह माना जाता।

आज के बाड़मेर के साथ तो दूसरे जिलों को ईर्ष्या हो सकती है। रेवेन्यू यानी सरकारी राजस्व जुटाने के मामले में ये जयपुर के बाद दूसरे नंबर पर है और सरकारी आँकड़ों के अनुसार यहां की औसत प्रति व्यक्ति आय देश के अग्रणी जिलों के बराबर है। यहाँ एसयूवी गाड़ियों का प्रतिशत पड़ोसी

जोधपुर जिले से अधिक है। यहाँ की जमीनों के भाव और किराया गुड़गांव जैसे शहरों से होड़ लगा रहे हैं।

खुशी की बात यह भी है कि अभी भी बाली उमर की समृद्धि को संतुष्टि नहीं मिली है। अभी भी यहाँ के बाशिंदों के लक्ष्य और सपने ऊँचे हैं। वो तरल सोने के आगे अपने काम को विविध दिशाओं में फैलाने लगे हैं। वो ज़माना हवा हुआ, जब हर साल गर्मी में पलायन की खबरें सुर्खियाँ बना करती थीं। अब, यहाँ रोजगार और बिजनेस की बात की जाती है।

मेरा ऐसा सोचना बेवकूफी ही होगी कि सारी तकलीफों का हल मिल चुका है। कारवाँ चल रहा है। बाड़मेर ने सफलता का स्वाद चख लिया है। आने वाले समय की ज़रूरतों के लिए ये तैयार है।

मैं केवल यहाँ की माटी को मस्तक पर लगा कर इतना ही कह सकता हूँ: “राजस्थान की आर्थिक राजधानी! तुम्हें कई मंगला मोमेंट्स की शुभकामनाएं!”

पिंटू शास्त्र:

जिदंगी में कितने भी दु:ख, गम मिलें

अपने आँसू बह जाने देना! उन्हें रोकना मत क्योंकि...

(रूके हुए पानी में ही डेंगू वाले मच्छर अंडे देते हैं!)

रेगिस्तान में बाढ़!

आज किसी ने 2006 का वो खौफनाक मंज़र याद दिला दिया जब बाड़मेर जैसे रेगिस्तानी इलाके में अचानक कुछ ऐसा घटित हुआ, जिसके बारे में कभी किसी ने नहीं सोचा था। जैसलमेर से सटे इलाकों में 20-21 अगस्त की भारी बारिश और एक के बाद एक जल संग्रहण स्ट्रक्चर के टूटने से बाड़मेर के कवास कस्बे की तरफ छोटी मोटी नदी जैसा प्रवाह शुरू कर दिया।

मुझे याद है वो मानसून कुछ अलग रंगत लिए हुए था। 15 अगस्त के बाद वाले वीकेंड पर बाड़मेर से जोधपुर यात्रा करते हुए आसमां में छाई घटाओं को देखकर ये अंदाज़ा तो हुआ था कि इस बार ये जम कर बरसेंगी। लेकिन, रेगिस्तान में बाढ़ आ जायेगी... ये तो कोई भी नहीं सोच सकता था।

लेकिन 21 अगस्त के बाद एक के बाद जो खबरें आनी शुरू हुईं उनसे अनिष्ट की आशंका सच साबित होने लगीं। कवास की बसावट कटोरेनुमा डिप्रेशन ज़ोन में होने के कारण शिव की तरफ से एक नदीनुमा बहाव के साथ आई अपार

जलराशि ने इस इलाके को विशालकाय झील में तब्दील कर दिया।

केयर्न में उन दिनों हम बाड़मेर में हुई मंगला डिस्कवरी के बाद प्रोसेसिंग टर्मिनल निर्माण के लिए योजना बना रहे थे। एमपीटी के लिए नगाणा में ज़मीन तय हो चुकी थी और लेआउट प्लान भी तैयार था। मुझे अच्छी तरह याद है वो दिन जब डिस्ट्रिक्ट एडमिनिस्ट्रेशन के साथ हम सभी बोट, हेलीकॉप्टर से राहत सामग्री वितरण, रेस्क्यू टीम, रेडियो कम्युनिकेशन आदि के साथ बाढ़ की विभीषिका से राहत में जुट गए थे।

आज जहाँ मिट्टी के टीबे नज़र आते हैं उस इलाके में मैंने वाटर बोट में सफर किया। तत्कालीन मुख्यमंत्री के प्रेस सलाहकार के साथ जब हम कवास के आसपास बोट में सवार पहुंचे तो बिजली के खंभों के सिर्फ ऊपरी हिस्से ही पानी के ऊपर नज़र आ रहे थे। इससे अंदाज़ लग जाता था कि बाढ़ का पानी वहाँ कितनी मात्रा में जमा था।

समाज का हर वर्ग मुसीबत की इस घड़ी में आगे आया और लगभग आठ-नौ महीने लगे सब कुछ सामान्य होने में... सड़क नेटवर्क के बहाल होने में।

इस साल, शायद मानसून की मेहरबानी थार रेगिस्तान पर नहीं है। लेकिन बारिश की उम्मीद करते हुए भी यहाँ बाड़मेरवासी 2006 जैसी स्थिति न होने की प्रार्थना करते हैं।

पिंटू शोध सार: "वैसे देश मे छुआछूत आज भी है।" सवर्ण लड़का सरकारी नौकरी के हाथ लगा के तो बताए!)

'जोधपुरियो' हूँ सा!

सर्दियों की एक अलसाई सी सुबह। भले ही अभी तक सूरज ने दर्शन ना दिए हों। भले ही ठंड आपकी हड्डियों तक घुसपैठ कर हंगामा मचा रही हो। भले ही सड़क किनारे अलाव के आसपास खड़े ऑटो ड्राइवर्स, आग के बेअसर होने के लिए हवा के रुख को दोषी ठहरा रहे हों, लेकिन जोधपुर रेल्वे स्टेशन के प्लेटफॉर्म नंबर 1 से सुबह 5:50 बजे रेंगती हुई निकलने वाली रणथम्भोर एक्सप्रेस में जोधपुर के बाशिंदों की गर्मजोशी सुकून पैदा कर चुकी है।

रेलगाड़ी ने अभी रफ्तार नहीं पकड़ी है। लेकिन खालिस जोधपुरियों की तरफ से, सिग्नेचर स्टाइल में, एक के बाद एक, इतने 'परचे' दिए जा रहे हैं कि आपको ठंडक महसूस करने का समय ही नहीं मिल रहा।

"हाँ! डब्बा (कोच) में आ ग्यो हूँ... 'हीट' (याने कि 'सीट') मिल गी है... पोचिया ने म्हारे साथे कई लेवणे भेजियो... थे इत्ता लोग फालतू ई आया... हिरोवण (early morning food/not breakfast) कर ने रवाना हुया हा, पण पूड़ियाँ

ने आलू रो फरको हाग (बिना ग्रेवी वाली सब्जी) पैक करवा लियो है, अबार खोल लेवां..." जैसे वाक्य सुन कर मैं सहज ही अपने दिमाग में वो स्पॉट्स बना लेता हूँ जिन सीट्स पर कोई जोधपुरी भाई या बहन सफर में साथ रहने को है।

"गाड़ी टाइम माथे रवाना हो रई है...हाल राई का बाग आयो है। बनाड़ ई कोनी पुगिया। कोई चेन खींच दी दीखे..." जैसे वाक्यों के साथ किसी फोन पर रनिंग कमेंट्री चल रही होती है, तो दूसरी तरफ एक बुजुर्गवार... एक के बाद एक, अपने गंतव्य (location of arrival) और पीछे छूट रहे जोधपुर में बैठे खास लोगों को सुबह-सुबह का अपडेट बड़े प्यार से दे रहे हैं। ये अपडेट अलग-अलग लोगों को रिपीट मोड़ पर इतनी बार दे रहे थे कि, मेड़ता पहुँचने तक उनकी आपबीती मुझे भी याद हो गई।

उनके ही शब्दों में: "अरे आज तो मा'देव (महादेव) लाज राखी। हवा चार (4:15) रो अलॉर्म सेट करियो, घंटी बाजी तो एक बार नीन्द भी खुल गी। पण मोबाइल रे आँगळी कर ने आपां (यानी वे खुद। खुद को out of respect plural यानी 'आपां' कहा जा सकता है) पाछा पौड़ ग्या। भोडो... एडो आळस आयो कि हवा पाँच (5:15) इज नींद खुली। थारी काकी (यानी इनकी wife) तो मिन्दर गई परी ही, तो उठावे कुण! हिनान हमपाडा (shower) किया... भागतो दौडतो तैयार हुयो। पिण्टिया ने हेलो (आवाज़) पाड़ ने केयो कि भई अबे तो

तू ई दूध चढ़ा ने, संधिणा (winter special sweets) रो लाडू दे ने... फटाफट गाड़ी निकाळ। पिंटियो लाई (poor chap) फुल स्पीड में एन टाइम माथे पुगा दियो। घुसता ही जिको डिब्बो हामने (सामने) दिखियो, उणमे चढ़ा दियो। हालाँकि हामान (सामान) बत्तो राखूं कोनी, इण वास्ते घणी तकलीफ कोनी हुई। पण, ऐणुती (unnecessarily) भाग दौड़ होयगी।"

हर बार, सामने वाला भी फोन पर इस स्टोरी को सुनते हुए सवाल पूछ-पूछ कर ये सबूत दे रहा होता कि उसको इस आपबीती में पूरा इंटरेस्ट आ रहा है।

जोधपुर से जयपुर तक के पाँच घंटे के सफर में आयोजित होने वाले आधा दर्जन 'मिनी फ़ूड फेस्टिवल' के दौरान खुद और सहयात्रियों के खाने पीने का क्या-क्या सामान साथ लिया गया है, ये भी हर बार दोहराया जाता: "घणो कोनी लियो रे! थारी काकी मठरियां घाल दी। काले पिंटियो चतरिये रा गुलाबजामन ला ने धरिया हा, थोड़ा वे ले लिया। यूँ मेड़ता माथे पकौड़ा ले लेवां, पण घर रो माल... घर रो इज होवे। दाल रो हीरो (हलवा) ठंडो भावे कोनी, पण टिपण (टिफिन) में वो भी है। खोखा (बेसन की मोटी सेव) कुतरता... गोटण तो पूग इज ग्या..."

जोधपुर वालों का राजनीति ज्ञान भी पूरे आत्मविश्वास के साथ बाहर आता है। एक भाई साब के पास बैठे किसी यात्री ने व्हाट्सएप्प पर आया कोई वीडियो प्ले किया तो

वो एक्सपर्ट कमेंट के साथ तत्पर थे: “हेंग (सब) एक जेड़ा है सा। दिल्ली रा वविधानसभा चुनाव गया पछे हेंग मिन्नी (भीगी बिल्ली) ज्यूँ चुप बैठ जावेला। गेली (पागल) जनता याणे लारे भेजमारी करती रेवे। ...दाढ़ी वाळा दोई (मोदी और शाह) मज़ा ले रया है। थोड़ा दिन और रुक जाओ, तमासा ई तमासा होवण वाळा है।” और साथ बैठे लोग उनके समर्थन में मुंडी हिलाने लगते।

दिल्ली जैसे मेट्रो शहरों के निवासी, सर्द मौसम के बीच... सूरज की नगरी से आ रही इस गर्मजोशी के अभयस्त (habitual) नहीं होते हैं। उनकी कसमसाहट उनके चेहरे पर नज़र आ जाती जब खाने के बीच डकार के साथ 'जै शंकर' का उद्‌घोष कोच में गूंज रहा होता।

जोधपुरी परिवार का नाश्ते का डब्बा खुलता तो आसपास वालों की जम कर मनुहार की जाती। एक बार, दो बार और बार-बार... खाने की मनुहार इतनी बार, कि सहयात्री को शक़ होने लगता है कि भाई... खाने में कुछ मिला हुआ तो नहीं है! नहीं भाई, ये सब खालिस जोधपुरी हैं और इनकी मनुहार में सिर्फ प्यार मिला हुआ है।

मनुहार करने का अंदाज़ भी अनूठा: “थोड़ा तो ट्राई करो। अरे, ये फेमस है हमारे यहां की! अरे ये आपकी काकी... (हाँ, आपसे उनका ये इंस्टेंट रिश्ता भी उन्हीं का तय किया

हुआ है) ने सुबह-सुबह पूड़ियाँ बनाई हैं, थोड़ी टेस्ट करो... अरे, ये तो कम घी की है, पेट के किसी कोने में पड़ी रहेगी..." और आगे-पीछे की सीट्स पर बैठे यात्री इस मीठी मनुहार से 'ब्रांड जोधपुरिया' का आनंद उठाते रहते।

जीव विज्ञान की पढ़ाई में पेट का आकार चाहे जैसा हो। जोधपुर के लोगों के पेट में कई कोनें होते हैं। जीभ की स्वदानुभूति को ध्यान में रखते हुए एक न एक कोने को खाली रखा ही जाता है। और हाँ... जोधपुरियों के दिल में भी अनगिनत कोनें मौजूद होते हैं। कैसे! फिर कभी बताएँगे

दूसरी तरफ सामने जयपुर से आने वाली ट्रैन में भी कोई ऐसा ही महसूस कर रहा है। उन्हीं के शब्दों में, "ठीक बीस मिनट पहले ट्रेन ने जयपुर स्टेशन छोड़ा। कुछ देर पहले जब मैंने शायद यार्ड में खड़ी ट्रेनों को पीछे छूटते देखना बंद भी नहीं किया होगा कि नाक को सुकून देने वाली एक ख़ुशबू के चलते ये कन्फ़र्म हो गया कि मैं सही ट्रेन में हूँ और ये जोधपुर ही जा रही है। मेरे सामने की सीट पर जोधपुर के दो यात्री हैं। बैठते ही उन्होंने 'जोधपुर मिष्ठान भंडार- जयपुर' का ड़ब्बा खोला और रबड़ी घेवर का भोग ख़ुद को अर्पित किया।

दुनिया के इतने शहरों में जोधपुर के नाम पर मिठाई-नमकीन की दुकान देख चुकने के बाद मैं दावे के साथ कह सकता हूँ कि चांद पे अगर आदमी कुछेक बार जा के आ

चुका है तो वहाँ भी 'जोधपुर स्वीट होम' ज़रूर होगा। बस नासा या इसरो द्वारा उसे खोजा जाना बाक़ी है।

बीस पच्चीस मिनट में इन भाइयों के जोधपुर ब्राण्ड जलवे ने मुझे अभिभूत कर दिया है। मलाई घेवर के पीछे उनके ख़ज़ाने में कई व्यंजन क़तारबद्ध मौजूद थे। प्याज़ कचौरी, मिर्चीबड़ा, लस्सी ग्रहण किए जाने के बाद और कुछ और चीज़ें जिन्हें रास्ते में सम्मान प्रदान करने की योजना आपसी बातचीत में तय कर चुके हैं। बात बात में मिष्ठान और नमकीन की क्वालिटी को लेकर उन्होंने कुछ एक्स्पर्ट कॉमेंट किए हैं। काश दुकान का हलवाई इन टिप्स से लाभान्वित हो पाता।

अलग अलग ख़ुशबूदार एपिसोड्ज़ में स्पेशल जोधपुरी डिशेज़ के कारण ये ट्रेन जोधपुरी जलवे का जीवन्त पोस्टर बनी आगे बढ़ रही है...

पिंटू प्रश्न

"सावन में लड़कियां मंदिर जाती हैं, अच्छा वर मांगने के लिए!

पर शादीशुदा औरतें क्या करने जाती हैं?"

(शिकायत करने कि ...हे भगवान क्या दे दिया!)

ये क्या हुआ, कैसे हुआ...

(अगले किसी आम चुनाव के बाद भी... बस साल बदल लीजिए)

जो हुआ वो होना ही था। इबारत दीवार पे साफ लिखी हुई थी। जो भी लोग अपने फ्रेंड सर्किल से आगे... आम लोगों के बीच बिना किसी पूर्वाग्रह से मिल रहे थे उन्हें पता था कि 'आएगा तो मोदी ही'। लेकिन ऐसे आएगा! इतने मजबूत तरीके से वापसी होगी!! ये शायद ज़्यादातर लोगों ने सोचा भी नहीं होगा। मैं भी, इस लहर की विशालता को समझने में थोड़ा पीछे रहा।

अब, जब ये हो ही चुका है। जब मोदी.x युग की शुरुआत हो ही चुकी है तो थोड़ा सोचा भी जाए कि जो हुआ उसके पीछे क्या वजह हो सकती है। और थोड़ा ये भी सोच लिया जाए कि आने वाले समय में किसके लिए क्या उम्मीदें हैं।

इससे पहले कि मैं अपनी बात आगे बढाऊँ... एक बात साफ कर दूँ। मेरी इस पोस्ट में 'राष्ट्रवाद', 'भक्त', 'हिन्दू', 'संघ'...जैसे शब्द कई बार आएंगे। अगर आप इन शब्दों

से घृणा करते हैं। अगर इन्हें पढ़ने से आपके दिमाग में अशांति छा जाती है तो मेहरबानी कर के इनको गहराई से जानिए, और उसके बाद ही कुछ टिप्पणी कीजिये। कुछ मित्र अक्सर मुझसे पूछ लेते हैं कि जैसे पेशे से में जुड़ा हूँ, उसमें रहते हुए क्या इतना खुल कर अपनी बात कहना बुद्धिमानी है?

मुझे 'भक्त' कैटेगरी में भी बैठाया जाता है... उनसे सिर्फ इतना ही कहना है: मेरा लगाव किसी पार्टी विशेष से नहीं बल्कि 'भारत' से है। मेरे हिसाब से 'भक्त' को किसी व्यक्ति विशेष से बंधा नहीं होना चाहिए। अगर कोई भी नेता देश के हितों के विरोध में जाता नज़र आए, तो भक्त को सबसे पहले विरोध का स्वर बुलंद करना चाहिए। इसमें पार्टी गौण है। कांग्रेस पार्टी में अच्छे नेता नहीं हैं क्या? बहुत हैं। हम सब उनसे स्नेह भी रखते हैं और चाहते भी हैं कि वो राष्ट्र के हित में आगे बढ़ते रहें।

तो अब आते हैं मूल सवाल पर। ये जो हुआ वो आखिर कैसे हुआ? सवाल का जवाब इतना विस्तृत हो सकता है कि उसको कुछेक किताबों में भी न समेटा जा सके। लेकिन मोटे तौर पर जो बातें नज़र आती हैं उनको देखा जाए। सबसे पहले तो ये...कि ये चुनाव पूरी तरह से एक नेता यानी मोदी जी पर फोकस हो गए थे। हमारे यहाँ प्रचलित चुनाव प्रणाली से हट कर इस बार का चुनाव एक अलग ट्रेक पर

दौड़ रहा था। वोटर अपना सांसद नहीं चुन कर, प्रधानमंत्री कौन बनेगा, उसके लिए वोट कर रहा था।

मोदी सरकार ने पिछले पांच सालों में जो काम किए उनमें अच्छे कामों (स्वच्छ भारत, मोदी केअर, मेक इन इंडिया, स्किल इंडिया, डिजिटल इंडिया, उज्ज्वला आदि) का तो योगदान था ही, लेकिन इस चुनाव को इस तरह का 'मोदी वर्सेज आल' बनाने का श्रेय मोदी विरोधियों को जाता है। उन्होंने, उनसे जुड़े मीडिया ने मोदी पर इतने ज़्यादा हमले किए, इतना ज्यादा मज़ाक उड़ाया, इतनी ज्यादा उपाधियाँ दी, कि आम वोटर को चारों तरफ मोदी ही नज़र आया। हद तो तब हुई, जब मोदी की तारीफ करने पर 'भक्त' का ठप्पा लगा कर मज़ाक बनाने से भी इस चुनाव में वैचारिक ध्रुवीकरण हुआ। एक सिरे पर वो वर्ग था जिसने खुद को सच्चाई से दूर कर रखा था। दूसरे सिरे पर वो वर्ग...या आम वोटर था जो पूछ रहा था कि अगर मोदी नहीं तो कौन? केवल गालियां मत दो। विकल्प तो तैयार करो।

जब लोग पार्टियों की परफॉर्मेन्स की बात करते हैं तो वो लोग ये भूल जाते हैं कि साइलेंट वर्कर और साइलेंट सपोर्टर नाम की भी कोई चीज़ होती है। कांग्रेस कौनसी बुरी पार्टी है? इसके कई नेता भाजपा के कई नेताओं से बहुत-बहुत बेहतर सोचते और कुछ कर दिखाने का माद्दा रखते हैं।

लेकिन, मुझे लगता है कि इस बार कांग्रेस में चुनाव मैनेजमेंट का काम किसी 'प्रोफेशनल एजेंसी' के भरोसे छोड़ दिया। आजकल मैनेजमेंट के कीड़े को अपने में समेटे कई एजेंसियाँ वो सब करने का दावा कर लेती हैं, जो हर बार... खास तौर पर गाँवों में बसने वाले भारत में संभव ही नहीं होता। चुनाव प्रबंधन में एजेंसी की बात इसलिए, कि इन चुनावों में कांग्रेस का ज़मीन से जुड़ा कार्यकर्ता उतना सक्रिय नज़र आया ही नहीं। ऐसा तब होता है जब उसे अपनी बात न सुने जाने का अंदेशा हो। कैंडिडेट चुनने में भी उनके तगड़ा नेताओं की उदासीनता समझ से परे रही। कैडर बेस्ड पार्टी में कार्यकर्ता ही भगवान होता है। इस बार...ये भगवान थोड़ा बुझा हुआ सा लगा।

दूसरी तरफ भाजपा के सक्रिय मैंबर्स के साथ लाखों उन लोगों की फौज जुड़ गई जिसको 'भक्त' कह कर छेड़ा जा रहा था। मैं हर रोज़ सैंकड़ों लोगों को ऑब्ज़र्व कर रहा था, जिनका राजनीति से कोई लेना देना नहीं था, लेकिन जो खुल कर मोदी के पक्ष में न केवल बोलते थे, बल्कि दूसरों को प्रभावित करने की कोशिश करते थे। इन सबके बीच संघ परिवार से जुड़े लाखों वो स्वयंसेवक भी थे जिनके काम का अंदाज़ा ना तो मीडिया लगा पाता है, और ना ही संघ के बाहर के लोग। संघ से जुड़ाव रखने वाले भी कभी-कभी आलस कर जाते हैं, लेकिन इस बार उन पर इतने कटाक्ष उछाले गए,

इतनी धमकियाँ दी गईं, कि उसने एक इनविजिबल फोर्स की तरह जुटना तय कर लिया।

सोशल मीडिया का ज़िक्र किए बिना इस चुनाव का विश्लेषण किया ही नहीं जा सकता। साफ तौर पर, ट्वीटर, फेसबुक और व्हाट्सएप... इन तीनों घोड़ों पर सवार चुनाव प्रचार ने ट्रेडिशनल मीडिया को गौण कर दिया। इनमें भी ट्वीटर और फेसबुक का युद्ध प्रायोजित पोस्ट्स और पार्टियों के IT सेल के चलते उतना प्रासंगिक नहीं रहा जितना व्हाट्सअप्प ग्रुप्स का स्वतःस्फूर्त मूवमेंट चुनावों के परिणामों पर प्रभाव डालने वाला सिद्ध हुआ। मेरी अगर कुछ सीटों के लिए कही बात सही साबित हुई तो उसमें उन सैकड़ों लोकल व्हाट्सअप्प ग्रुप्स से निकले संकेतों का बड़ा योगदान था।

ये चुनाव, मोदी और शाह की ज़मीन से जुड़ी टोली की कुशल कार्यशैली के लिए भी याद किए जाएंगे। बड़े सोचे समझे तरीके से, हर चुनावी चरण के लिए मुद्दे तय किए गए और उनको प्रचारित किया गया। कांग्रेस, बुद्धिजीवी वर्ग और मीडिया...बिना सोचे समझे उस रणनीति को सफल बनाने में लगा रहा। इन्होंने गड्ढे तैयार किए, वो उनमें कूदने लग गए। सबसे रोचक उदाहरण राजीव गांधी जी के बारे में दिए बयान का रहा। पंजाब में वोटिंग से ठीक पहले अगर मोदी जी ने ये बयान दे भी दिया था, तो उस पर इतना हल्ला मचाने की उस समय ज़रूरत नहीं थी। इसलिए नहीं थी

क्योंकि गड़े मुर्दे उखड़ने से कई घाव हरे होते और उससे नुकसान कांग्रेस को ही होता। ...लेकिन हुआ क्या? वो ही, जो नहीं होना चाहिए था। कभी-कभी रिएक्ट नहीं कर के भी कोई लड़ाई जीती जा सकती है।

चुनाव नतीजे आने के बाद भी उन लोगों में समझ नहीं आई है जो पहले भी सिर्फ भय का वातावरण बना रहे थे। उनकी जानकारी के लिए, देश के ज़्यादातर मतदाता विकास को होते हुए देखना चाहते हैं। वो जातिवाद और क्षेत्रवाद से ऊपर उठने को तैयार हैं। उन्हें फालतू के प्रलोभनों से ललचाया नहीं जा सकता।

और याद रखिए, वो अगर मोदी को पलकों पर बिठा सकता है तो नाराज़ होने पर ज़मीन पे गिरा भी सकता है। उसको काम चाहिए। और रही बात विकल्प की...तो उसकी तैयारी तो हर स्वस्थ लोकतंत्र में होनी ही चाहिए। उसमें बुराई क्या है? देश के लिए जो अच्छा होगा, जनता उसे चुनेगी। उसकी बुद्धिमानी पर सवाल खड़ा करोगे तो अगली बार इससे भी ज़्यादा शर्मिंदा होना पड़ेगा। देश से जुड़ा हुआ महसूस करिए। यहां किसी को कोई खतरा नहीं है। राष्ट्रवाद और हिंदुत्व के सच्चे नेतृत्व ने हमेशा सभी को गले लगाया है। नफरत के लिए कोई जगह है ही नहीं।

नारे: भाजपा के नारों ने कितना लुभाया, वो राम जाने। लेकिन 'आएगा तो मोदी ही'...ये नारा बहुत कामयाब रहा।

मास कम्युनिकेशन के क्षेत्र में ये चुनाव एक बेहतरीन केस स्टडी है।

बहुत बातें छूट गई हैं...वो भी आएंगी। अभी तो...इस हैंगओवर से बाहर आ कर माँ भारती के वैभव को विश्वपटल पर दमकते हुए देखने के सपने को सच करने में जुट जाएं।

लक्ष्य बड़ा है। अड़चनें बहुत आएंगी। लेकिन 'भक्ति' है तो, जीत तय है

पांखी: क्या मैं तुम्हारे सपनों में आती हूँ?

पिंटू: नहीं तो... मैं हनुमान चालीसा पढ़ के सोता हूँ!

दोस्तों! (खासतौर पे खुद को पढ़ा लिखा कहने वालों)

वोट नहीं करने वालों को ये एक चेतावनी है। तुम शुक्र करो ऊपर वाले का, कि उसने तुम्हें भारत जैसे लोकतंत्र में पैदा किया। नहीं...तो सड़ रहे होते किसी ऐसे देश मे, जहां पग-पग पर होती बंदिशें और मारे जाते सरे आम कोड़े। ना कोई अदालत, ना कोई सुनवाई।

हुकूमत की आलोचना ही कई देशों के नागरिकों के लिए मौत का फरमान ले आती है। सोशल मीडिया भी कितने ही देशों में बैन है। हमारे यहाँ तो सरकार और पुलिस की हाय-हाय के नारे लगती भीड़ और हुकूमत का पुतला जलाने वाले लोगों के साथ भी सुरक्षा देने भी उसी सरकार के पुलिस वाले ही चलते हैं।

जो चीज़ आसानी से मिल जाती है उसको हम taken for granted लेते हैं। जिस दिन लोकतंत्र कमज़ोर हुआ। जिस दिन एक-एक कर अधिकार छिनने लगेंगे जिस दिन सिर ना ढँकने और जुलूस निकालने पर हुकूमत का डंडा पड़ेगा...तब बिलबिलाने की सोचना भी मत।

इस चुनावी महासमर में...पक्ष पांडवों का लो या फिर कौरवों का। पक्ष तो तुम्हें लेना ही पड़ेगा। कोई और विकल्प है ही नहीं। "जो तटस्थ है, समय लिखेगा उनका भी इतिहास"। लोकतंत्र अगर दिया हुआ है आज तुम्हें। अगर देश में 'सर्वे भवन्तु सुखिनः' की भावना से सबको समान अधिकार मिल रहे हैं या उन अधिकारों की बात की जाती है, तो समझ लो कि पूरी दुनिया में ऐसी vibrant democracy ढूंढना मुश्किल है।

इससे पहले कि तुम खुद को लोकतंत्र के अपराधियों की जमात में खड़ा पाओ। भगाओ आलस, दूर करो खुद की भद्दी elitness को। जा कर लगो लाइन में, और वोट डालो।

कल ये लोकतंत्र तुम्हें गालियाँ निकलेगा। बददुआ देगा। अगर तुमने इसके करोड़ों अहसानों के बदले में इतना सा कष्ट भी नहीं उठाया।

पांखी ने कहा:

"आधा सर दुख रहा है!"

पिंटू को नहीं कहना था कि,

"जितना है, उतना ही तो दुखेगा!"

(अब उसका पूरा शरीर दुःख रहा है।)

याददाश्त भी ना...बड़ी कमजोर हुआ करती है।

मेरे बुद्धिजीवी दोस्त, जो कल शाम से अटल जी को श्रद्धांजलि देने के बहाने मोदी जी को उनके जीवन से... विनम्रता, सच्चे लोकतंत्र, सबको साथ ले कर चलने जैसे गुण सीखने का संदेश दे रहे हैं...उन्हें ज़रा उन दिनों के अखबार टटोलने चाहिए जब अटल सरकार अपने तरीके से आगे बढ़ने की कोशिश में थी।

प्रोपेगंडा, षड्यंत्र और शरारतपूर्ण प्रचार का तंत्र सभी मोर्चों पर सक्रिय कर दिया गया था। अटल पर हर तरफ से वार होते थे। असहिष्णुता, कट्टरता और संघी एजेंडे के आरोप न केवल उछाले जाते, बल्कि सिद्ध कर दिए जाते।

मुझे उन दिनों की दो खबरों के स्कैन एक मित्र ने भेजे हैं। शीर्षक पढ़ने से लगता है मोदी सरकार के 'गुणगान' किये जा रहे हैं। लेकिन ये तो अटल सरकार को समर्पित ख़बतें हैं!

पैटर्न अब भी दोहराया जा रहा है। बस मुसीबत ये है कि अब हर कुप्रचार की धज्जियां उड़ाते और कई बार बराबरी पर उतकर बुद्धिजीवी खेल को बिगाड़ने वाले सोशल मीडिया

के खिलाड़ी मौजूद हैं। बिलबिलाहट और छटपटाहट की एक वजह अब ये भी है।

परमाणु परीक्षण जैसे गौरवपूर्ण पल में कीचड़ उछालने और उसको देश के 'वास्तविक मुद्दों' से ध्यान भटकाने के लिए किए गए तमाशे की संज्ञा देने का काम कौन कर रहा था? कुछ दिन पहले मैंने अपनी एक पोस्ट में उन दिनों पोकरण के लिए प्रस्तावित पदयात्रा के षड्यंत्र का ज़िक्र किया था। लेकिन, आज वे लोग भी अटल चालीसा पढ़ते हुए मोदी को 'असली लोकतंत्र' सीखा रहे हैं।

आने वाले बरसों में अगर नियति... यूपी वाले योगी को दिल्ली बैठा दे तो!! मजबूरन याददाश्त को फॉर्मेट मार कर हमारे दोस्त मोदी राज को आदर्श शासन सिद्ध करने लगेंगे।

याददाश्त बड़ी सुविधाजनक चीज़ है!

पांखी 10 तरह की लाल लिपस्टिक में फर्क बता देगी...
पिंटू! शैम्पू की जगह
कंडीशनर यूज करके कहेगा: "यार! झाग नहीं बन रहा!"

आलिंगन और आँख मारने का सिद्धांत

राहुल गांधी जी के गले मिलने और आंख मारने के घटनाक्रम ने विश्वस्तर पर राजनेताओं द्वारा काम मे लाई जाने वाली फिलोसोफी को बड़ी सहजता से हमारे सामने ला दिया। इस थ्योरी का सीधा ताल्लुक परसों सदन में हुए ड्रामे से नहीं है। ये तो शायद सदियों से हमारे बीच मौजूद है।

मैं इस संयोग को Hug & Wink Theory या 'आलिंगन-आलंबन' सिद्धांत का नाम देना चाहूंगा।

इस कारगर थ्योरी को यूँ समझें... चुनावों तक लुभावने वादों और नारों के साथ उसको गले लगाना (या पड़ना) जो हमारे टारगेट पर है:यानी वोटर या कि आम जनता। और नतीजे आने के बाद उन वादों पर आँख मार देना... यानि कि "भैया! तू बेवकूफ बन चुका है। हमारा हो गया काम; अब जय सिया राम... अब बेटा! तुम उम्मीदों के सहारे लटके रहो!"

इस थ्योरी में अपवाद गिनेचुने हैं इसलिए किसी देश या पार्टी से जोड़ कर इसे न देखा जाए। अक्सर शोषक और शोषित के बीच ये घटनाक्रम यानि "गले लगाना-और फिर

आँख मार के लापरवाह बन जाना" ...बारम्बार घटित होता रहता है। ना इस तरफ वाले को अक्कल आती है, ना उस तरफ वाले का ईमान जागता है।

तो बन्धुओं! गुणीजनों से सबक लो। काम पड़ने पर आलिंगन और और काम निकलने पर आँख मारने का सिद्धांत!

पिंटू: कुछ स्पेशल खाना है... तेरे हाथ का बना

पांखी: ये है ना फ्रोज़ेन लेंटिन फ्रायड विद फार्म फ्रेश चिली एंड रेड टोमेटोज!

पिंटू: सीधे बोल ना! क्या स्पेशल पकाया है?

पांखी: परसों के दाल फ्रिज में पड़ी थी। टमाटर मिर्च के साथ छौंक दी है! खाओ चुपचाप!

कुछ बाते संघ और प्रणब दा के मुख्यालय विजिट की

प्रणब दा के संघ स्थान पर व्याख्यान की चर्चा में मीडिया और विश्लेषक कई दिन उलझे रहेंगे। आइये हम थोड़ा नज़र डालें मोहन भागवत जी के कल के उद्‌बोधन पर। मुझे लगा कि:

1. **ये शायद पहला मौका था जब इतनी बड़ी संख्या में लीग संघ की कार्यप्रणाली का एक रूप प्रत्यक्ष देख रहे थे... समझने की कोशिश कर रहे थे। मोहन भागवत ने संघ के उदारवादी लेकिन लक्ष्य को ना भूलने वाले संगठन की बात को स्पष्ट रूप से रखा।**
2. **सीख उन स्वयंसेवकों के लिए भी थी जिन्होंने सुस्ती ओढ़ ली है। बहुसंख्यक होने के नाते हिन्दू समाज की जिम्मेदारी बड़े भाई सरीखी बनती है। देश के परम वैभव के लक्ष्य की ओर यात्रा में कुछ भी होगा तो सवाल इसी समाज से पूछे जाएंगे।**
3. **संदेश उन लोगों के लिए भी था जो संघ को एक पार्टी से जोड़ कर देखते हैं। हेडगेवार जी ने अपना**

सफर कांग्रेस कार्यकर्ता के रूप में शुरू किया, ये बताते हुए उन्होंने जताया कि संघ के दरवाजे हर उस व्यक्ति के लिए खुले हैं जो इस देश को वैभवशाली बनाना चाहता है।

4. "मिलना कुछ नहीं है। जेब का पैसा लगा कर संघ के प्रशिक्षण वर्ग में आते हैं। नेकी कर दरिया में डाल..." ये संदेश भी उनके लिए था जो सत्ता से नजदीकी के चलते लाभ के सपने पाल लेते हैं।
5. प्रणब दा के बारे में बोलते हुए भी श्री भागवत का शब्द चयन अनूठा था। बंगाल का प्रबुद्धजन इस पूरे आयोजन को अलग दृष्टि से देख रहा होगा, ऐसा मेरा मानना है।
6. "भारत मे रहने वाला, हर पंथ, क्षेत्र या जाति का व्यक्ति अगर इस देश के लिए कुछ सोच रखता है तो वो अपने कार्यों का उदाहरण दे कर ऐसा कर सकता है। लोग अपने आसपास अच्छे उदाहरण खोजते हैं और मिलने पर उनका अनुसरण करते हैं।
7. "यहाँ रुकना नहीं है।" एक बार फिर संदेश उन लोगों को जिन्होंने सत्ता या इससे नज़दीकी को स्वर्ग की आखिरी सीढ़ी मान ली होगी। लक्ष्य सत्ता नहीं, कुछ और है। उसके लिए जुटने की सीख।

8. **साउथ और नॉर्थ की बहस के बीच सहज तरीके से प्रशिक्षण वर्ग का उदाहरण। "भाषा नहीं आती है, लेकिन एक दूसरे से इतना जुड़ जाते हैं।"**
9. **आने वाले सामाजिक-राजनैतिक परिदृश्य के लिए भी संकेत। "कोई अछूत नहीं है। किसी से परहेज नहीं।" वैसे कांग्रेस के दिग्गज रहे एक नेता की मंच पर उपस्थिति इस संदेश को अपने आप ही फैला रही थी।**
10. **"शक्ति ज़रूरी है, लक्ष्य प्राप्त करने के लिए।" यानी 2019 में घर नहीं बैठे रहना है!!**

शायद मैंने कुछ अपने तरीके से सोचा हो। शायद मैंने कुछ बिंदु छोड़ दिए हों। आप जोड़ सकते हैं।

दुकानदारः मैंने आपको दुकान की एक-एक चप्पल दिखा दी, अब तो एक भी बाकी नहीं है।

पांखी: वो सामने वाले डिब्बे में क्या है?

दुकानदारः उसमें मेरा लंच है

सावधान! 'कैम्ब्रिज अनालीटिका' सिर्फ ट्रेलर था।

फ़िल्म अभी तो शुरू ही हुई है। सोशल मीडिया को हथियार बना कर... चुनिन्दा घटनाओं का नक़ाब पहन कर... बार-बार आपकी आत्मा को नोचा जाएगा।

आपको अपने देश, धर्म, समाज और खुद के प्रति शर्मिंदा महसूस करवाया जाएगा। आप टूटने की कगार तक असहाय महसूस करें, ऐसा माहौल पैदा किया जाएगा। शोक संगीत चीख़-चीख कर आपके कान और मन को बहरा बनाएगा।

आप घृणा करते-करते ठीक जाएंगे। हिन्दू हैं तो मुसलमान से करेंगे, मुसलमान हैं तो हिन्दू से। सवर्ण हैं तो दलित से करेंगे। हर समीकरण पर अपनी गणना पूरी करने वाले प्रोफेशनल्स बिल्कुल फिल्मी तरीके से...अफवाहों का बाज़ार ठंडा नहीं होने देंगे। लोकतंत्र के हर स्तम्भ पर इतना कीचड़ उछलेगा कि हम बिलबिला कर कहेंगे: "ये देश सिर्फ डिक्टेटरशिप के लायक है।"

उन्हें तो अपना काम प्रोफेशनल तरीके से करना ही है। दलित, सवर्ण, माइनॉरिटी या महिलाएं। ये सब उनके लिए सिर्फ मोहरे हैं जिनसे उन्हें अपनी बाज़ी को जीतना है।

ज़करबर्ग जैसा व्यवसायी अगर कहता है कि वो सुनिश्चित करेंगे कि भारत मे चुनाव निष्पक्ष हो, तो मन का डर और गहरा हो जाता है। (...यानि चुनाव का निष्पक्ष होना अब चुनाव आयोग से ज़्यादा सोशल मीडिया पर निर्भर होगा??)

कहा जाता है कि किसी को सच मे गरीब और दुर्बल बनाना है तो उससे पैसे नहीं, बल्कि उसका आत्मसम्मान छीन लो। यही होगा। हमें पुचकारने के बहाने हमारे जख्मों को कुरेदा जाएगा। मौसमी मोमबत्तियां... केवल मन का अंधेरा बढ़ाने को निकाली जाएंगी। बहस इतनी बढ़ाई जाएगी कि आप के मन मे नफरत, भय और असुरक्षित होने की भावना घर करने लगेगी।

आखिर ऐसी स्थिति में जा कर ही तो हम ग़लत कदम उठाने को मजबूर होते हैं!

हमारा ग़लत क़दम उनके अभियान की सफलता होगी। हमको भीड़ तंत्र बनाने की कोशिशों का विफल होना बहुत ज़रूरी है। ये हम सभी के हित मे होगा कि बहस का हिस्सा बनने और लाइक-फारवर्ड करने से पहले संवेदनशील मुद्दों पर तथ्यों के साथ अपनी सोच को आगे बढ़ाएं।

समर अभी शेष है।

खुद की तारीफ करवाने के लिए पांखी का रामबाण तरीका: "मैं बहुत बुरी हूँ न!"

चलो साथ, हो राष्ट्र आराधन...

"क्या तुम्हारा दिमाग काम करना बंद कर चुका है? घाटी में हर बात का जवाब गोली से मिलता है। कुछ है तुम्हारे पास, जिससे तुम जवाबी हमला कर सको?"

जयपुर से जम्मू की तरफ दौड़ रही ट्रैन में मेरे सामने बैठे एक अधेड़ यात्री ने मुझसे ये सवाल किया तो उस दिन कोई जवाब देने की बजाय मैं सिर्फ मुस्कुरा पाया था। सच कहूँ तो कोई जवाब था भी नहीं क्योंकि तब तक अपनी आँखों से बहुत कुछ देखना बाकी था। क्योंकि तब तक कश्मीर के विविध रंगों से मेरा परिचय होना बाकी था।

ये बात है 9 सितंबर 1990 की। स्कूल से निकल कर नया-नया कॉलेज में आने वाला मैं अपनी ज़िंदगी के पहले आंदोलन में खुद को कश्मीर की ट्रेन में पहुंच चुका था। उस वर्ष 15 अगस्त को घाटी में तिरंगा जलाने की घटनाएं हुई तो अखिल भारतीय विद्यार्थी परिषद ने अपने कार्यकर्ताओं को 'कश्मीर चलो' नारे के साथ श्रीनगर के लाल चौक में तिरंगा फहराने का संकल्प लिया।

मारवाड़ से रवाना होने वाले समूह में मेरे साथ छात्र नेता जालम सिंह रावलोत और राज जोशी भी थे। पूरी ट्रैन में अलग-अलग कोच देशभक्ति के गीतों से गूंज रहे थे। आगे चुनौतियां क्या होंगी, इस सोच से बेखबर, सभी के मन में एक ही बात जोश भर देती थी कि... "हम वहाँ तिरंगा फहराने निकले हैं जहाँ इस राष्ट्रीय प्रतीक का अपमान हुआ था।"

लेकिन मामला उतना सीधा भी नहीं था। 11 सितंबर को जम्मू के परेड मैदान में देश के अलग-अलग राज्यों से आए दस हज़ार से ज़्यादा छात्र-छात्राओं की रैली हुई। रैली में जोशीले नारों के बीच हमें बताया गया कि 'कश्मीर चलो' मार्च के खिलाफ घाटी में अलगाववादियों ने जनता कर्फ़्यू यानि आम हड़ताल का कॉल दिया है। ये भी चेतावनी जारी की गई है कि घाटी की तरफ आने वाले स्टूडेंट्स को ज़िंदा वापस नहीं जाने दिया जाएगा।

इस चेतावनी के चलते राज्य सरकार ने ABVP को झंडा फहराने की अनुमति देने से इनकार कर दिया। "अब क्या किया जाए? क्या हम वापस लौट जाएँ?" मंच से सवाल किया गया तो हजारों जोड़ी हाथ: "श्रीनगर की तरफ कूच किया जाए..." कहते हुए हवा में लहरा उठे।

हुआ भी यही। दो की पंक्तियों में हम सभी जम्मू से पैदल रवाना हो गए। मेरे पास सामान के नाम पर कंधे पर लटके एक कॉलेज बैग में दो जोड़ी कपड़े और टूथपेस्ट-ब्रश,

कंघी, साबुन और गमछा था। बाकी के पास भी इतना ही सामान था।

उधमपुर लगभग 70 किमी की दूरी कभी पैदल तो कभी बस की छत पर सवार हो कर तय की गई। रास्ते में जगह जगह बसों पर पथराव होने के कारण ट्रैन में सलाह देने वाले यात्री की बात सच लगने लगती, लेकिन जोश में कमी आने का कोई सवाल ही नहीं उठता था।

उधमपुर के पास अर्ध सैनिक बलों ने आगे जाने की इजाज़त देने से मना कर दिया। हम सभी आगे जाने पर अड़े रहे तो सामूहिक गिरफ्तारियां हुई। सभी को वापस जम्मू ला कर एक रात जेल में रखा गया।

अब इतने सारे विद्यार्थियों के लिए जेल कहाँ बनी थी, इसलिए जम्मू के स्कूल-कॉलेज को अस्थायी जेल बनाया गया। राजस्थान के साथी, हम सब मौलाना आज़ाद मेमोरियल कॉलेज में नजरबंद किए गए। जम्मू के राष्ट्रप्रेमी लोगों ने हमारे लिए पलक पाँवड़े बिछा दिए। कॉलेज में खाने के पैकेट्स के ढेर लग गए।

लेकिन मन में अशांति तब और बढ़ गई जब जम्मू के 'शरणार्थी शिविरों' में रह रहे कश्मीरी घाटी के उन विस्थापित परिवारों से मिलना हुआ, जिनको जीते जी नरक में धकेल दिया गया था।

भले ही हम जेल में थे, लेकिन झंडा फहराए बिना लौटना मंज़ूर नहीं था। आखिर में एक रास्ता निकाला गया। हमारे प्रतिनिधियों को बुला कर सांकेतिक रूप से लाल चौक में तिरंगा फहरवाया गया। हम सभी को कुछेक स्पेशल रेलगाड़ियों में भरकर जम्मू से दिल्ली ला कर छोड़ा गया। यहाँ भी इंडिया गेट से तत्कालीन प्रधानमंत्री वी पी सिंह के आवास तक मार्च निकाला और उनको ये रिक्वेस्ट की गई कि वे खुद अगली बार लाल चौक में तिरंगा फहराने जाएं।

इस घटना के लगभग डेढ़ साल बाद, 26 जनवरी 1992 को मुरली मनोहर जोशी और नरेंद्र मोदी ने लाल चौक में तिरंगा फहराया।

धारा 370 हटने के बाद उम्मीद है कि घाटी में तिरंगा फहराने की इच्छा रखने वालों को अब जेल नहीं जाना पड़ेगा। राष्ट्र आराधन... हमारा अधिकार, हमें सहज मिले। लद्दाख, जम्मू, कश्मीर समृद्ध हो और शांत भी।

पांखी डायरी:

"याद रखना

सिर्फ प्यार ही

अन्धा होता है,

घरवाले और मोहल्ले वाले नहीं!"

कोरोना जैसे समय में, 'प्यारे' शब्द-योद्धाओं के नाम

एक खास लक्षण वाले शब्द-योद्धा, 'कोरोना-पूर्व' दौर में भी पाए जाते थे, अभी भी ये पूरी मुस्तैदी से अपनी ऊर्जा को लुटाने में जुटे हुए हैं, और 'कोरोना-मुक्त' विश्व में भी इनकी संख्या कम होने की कतई संभावना नहीं है।

ये वो लोग हैं जिनके लिए हर सुबह की शुरुआत लगभग एक तरीके की बासी कुल्ली या 'बौद्धिक' (!) जुगाली के साथ होती है। इस जुगाली के दौरान और उसके बाद शायद दिन भर... वो सिर्फ एक काम करते हैं: 'आलोचना'।

अक्सर इनके आलोचना करने के पीछे कोई क्रांतिकारी उद्देश्य नहीं पाया गया है। सुबह से शाम... दिमाग में भरे कचरे को इधर से उधर शिफ्ट करते हुए जब 'आफरा' ज़्यादा हो जाता है, तो वो अपने जाने पहचाने युद्ध-स्थल यानी सोशल मीडिया का रूख करते हैं और यहाँ आकर रायता फैलाने का प्रयास करते हैं।

आलोचना किसकी करनी है, इस बारे में उनका दिमागी शोध 24x7 चालू रहता है। इस प्रक्रिया में वे अपने अधपके

ज्ञान और दिमागी बुखार की चपेट में किसी को भी ले लेते हैं। बस आलोचना के लिए कोई फेवरेट टारगेट तय हो जाए, तो इनकी बाहें खिल उठती हैं।

जिसकी आलोचना की जा रही है उसके क्रिया कलापों के बारे में ये खुद जज बन कर लंबे चौड़े कुतर्क भी तैयार कर लेते हैं। फिर वो आलोचना इसकी हो या उसकी, इस संस्था की या उस सिस्टम की... इस बात या उस जात की... क्या फर्क पड़ता है! आलोचना इनके लिए ऑक्सीजन है, वे बेचारे इसी पर ज़िंदा रहने की कोशिश करते हैं।

इस श्रेणी के जंतुओं की एक पहचान ये भी होती है कि उनकी खोखली आलोचना में ज़हर तो भरपूर होता है लेकिन किसी भी बात का विकल्प, स्थितियों या व्यक्तियों को बेहतर बनाने का कोई सुझाव नहीं होता है।

इससे पहले कि मैं भी महज आलोचना में घुस जाऊं, आपको राहत पाने के लिए विकल्प पर ले आता हूँ। इन वायरसों से बचने का तरीका इनसे 'डिजिटल डिस्टेंसिंग' है। इस तरह के लोगों से बहस में मत उलझिए, हल्के फुल्के तरीके से अपनी बात रखिये, हास्य बोध को थोड़ा बढ़ाइए, शोधपरक और तथ्यात्मक... बैलेंस्ड रिपोर्ट्स की खोज कीजिए और उन्हीं से डिजिटल या प्रत्यक्ष वार्तालाप कीजिए। साहस है इस पचड़े में पड़ने का, तो इस बीमारी से पीड़ित लोगों से सहानुभूति रखते हुए उनको पाजिटिविटी की खुराक दीजिए।

रोगी की पहचान कैसे की जाए? अगर ये पोस्ट पढ़ते हुए आप मुस्कुरा रहे हैं और तुरंत आपके दिमाग में कोई नाम आ रहा है तो अपने सिक्स्थ सेंस पे भरोसा कर के मेन्टल लिस्ट बना कर "इनको इग्नोर करना है" वाला टैग लगा दें।

अगर ये पढ़ते-पढ़ते आप गुस्सा हो रहे हैं और खीज उठ रही है तो इसको वार्निंग सिग्नल मान कर या तो खुद को सुधारिए या लेखक को इग्नोर कर दीजिए। इससे भी आपको परम शांति का अनुभव होगा।

रोग निवारण के लिए कुछ टिप्स: 1. ध्यान प्राणायाम कीजिये, 2. जिसकी आलोचना आपको जोर से आ रही है, उसके बारे में ज़मीनी शोध शुरू कीजिए 3. जो खराब है उसके विकल्प सोचिए और उस पर सकारात्मक तरीके से काम करना शुरू कीजिए 4. खुद बेहतर विकल्प बनने का सपना देखिए और उसको साकार करने के लिए जुट जाइये।

कुछ बदलाव ना आने तक ये प्रक्रिया दोहराइये और तब तक अपनी थोथी आलोचनाओं से इस पृथ्वी को मुक्त रखिए।

पांखी: भैया सही से रेट लगाओ, हम हमेशा यहीं से सामान ले जाते हैं...

दुकानदार: भगवान से डरो बहन! ये दुकान आज ही खुली है।

उपाधियों की बरसात करने वाले कृपया ध्यान दें

आज न्यूज़ हेडलाइंस टटोलते हुए एक बात मन में आई: "क्या हम सभी उपाधियों और संबोधनों के आशय भूल कर केवल नाम को डेकोरेटिव यानी सजावटी बनाने के लिए ही उनको काम में लेते हैं?"

अब 'संत', 'स्वामी' या 'आचार्य' जैसे शब्दों को ही लिया जाए। एक खबर में बताया गया है कि एक एक्टिविस्ट से मिलने स्वामी अग्निवेश और आचार्य प्रमोद पहुँचे। राजनैतिक मामलों को जानने वाले मित्र जानते ही होंगे कि दोनों ही बंधुओं का धर्म और ईश्वरीय सत्ता से 36 का आँकड़ा है।

दोनों ही अच्छे एक्टिविस्ट हैं, अपने लक्ष्य को ले कर वो राजनैतिक गतिविधियों में सक्रिय हैं। उनके प्रशंसक उन्हें किसी भी उपाधि से सुशोभित करें... लेकिन ऐसे संबोधन आमजन के मन में इन एक्टिविस्ट्स की एक झूठी इमेज बना देते हैं।

इस बात को थोड़ा और विस्तार दें तो लगेगा कि हमने विशेषणों और उपाधियों को लगाने के मामले में गजब उदारता दिखा रखी है।

'संत' शब्द का उद्गम भले ही अंग्रेज़ी के saint से हो या संस्कृत के 'सत' से, 'स्वामी' का अर्थ lord या मालिक हो... लेकिन हम उदारता से किसी को भी न केवल इन उपाधियों का तोहफा देते हैं, बल्कि उतना आदर, सम्मान और पूजा का अधिकारी भी बना देते हैं।

कभी-कभी लिखने वालों का स्नेह भी अनर्थ करवा देता है। बीते दिनों एक पत्रकार मित्र ने मेरे नाम के साथ 'इतिहासविद' लिख कर कोई खबर चलाई। उन्हें इस लाड़ के लिए धन्यवाद दे कर मैंने उनसे निवेदन किया कि इतिहासविद तो बहुत दूर की बात है... मैं इतिहास का सामान्य विद्यार्थी बन जाऊँ तो भी एक बड़ी उपलब्धि होगी।

समस्या बस तब आती है जब हमारे द्वारा डेकोरेटेड... विभूषित ये गुणीजन आप और मुझ जैसे आम लोगों सा व्यवहार करते हैं...और फिर मसालेदार खबरें चीख उठती हैं: "संत के साथ दुर्व्यवहार"! समय आ गया है जब या तो हम मान लें कि इन शब्दों की गंभीरता खत्म हो चुकी है... या फिर इन्हें उपाधि के रूप में लगाने से पहले थोड़ा इंतज़ार कर लिया जाए।

पद्मश्री @&$ तथा भारत रत्न XYZ! क्या अति-उत्साह में कई लोग नियम विरुद्ध संबोधन काम में लेते हैं?

सच कहूँ तो पत्रकारिता और लेखन के अनुभव के बावजूद मैं भी ये गलती करता था। मंच संचालन के दौरान भी... “पद्मश्री फलां जी का हम अभिनंदन करते हैं,” ऐसा बोल देते थे।

“खबरदार! जो मेरे नाम के आगे पद्मश्री लगाया तो,” जाने माने लेखक नरेंद्र कोहली जी के साथ पहली मुलाकात में जब मैंने ये बताया कि जोधपुर में स्टेज पर उनसे संवाद का जिम्मा मेरा रहेगा... तो उन्होंने मुझे चेताया।

“ऐसा क्यों? भारत सरकार ने आपको 2017 में पद्मश्री सम्मान से नवाजा है। इसका मतलब आपके नाम के साथ ये टाइटल की तरह लगाया जा सकता है?” मैंने मासूमियत से पूछा।

“बिल्कुल भी नहीं। पद्म पुरस्कार के साथ जो नियम जुड़े हुए हैं उनके मुताबिक कोई भी व्यक्ति ये शब्द अपने नाम के आगे या पीछे नहीं लगा सकता। ऐसा करने की मनाही है,” ऐसा कहते हुए उन्होंने विस्तार से बताया कि राजकीय समारोहों में राष्ट्रपति भवन से आने वाले निमंत्रण पत्रों के रूप में ज़रूर आपको (प्रोटोकॉल के तहत) सम्मानित व्यक्ति का दर्जा मिलता है।

इसके अलावा किसी तरह से अगर मेंशन करना हो तो नाम के बाद अल्पविराम लगा कर, या कोष्ठक में (राष्ट्रपति द्वारा भारत रत्न से सम्मानित)...ऐसा लिखा जा सकता है। हम तो सम्मान प्रकट करने के लिए सीधा ही... भारत रत्न श्री...#@$& लिख देते हैं। यहाँ तक कि सरकारी विज्ञापनों में भी ये गलती देखने को मिलती है।

पांखी: तुम बहुत आलसी हो... मुझे तुमसे ब्रेकअप करना है।

पिंटू: जो भी करना है अकेले कर ले, ...मुझे नींद आ रही है।"

त्वाड़ा कुत्ता टॉमी, साडा कुत्ता-कुत्ता!

"आयुर्वेद को हर कदम पर अग्नि परीक्षा के लिए कहा जाता है। लेकिन एलोपैथी को सौ गलतियाँ माफ।" ये एक फैक्ट है, या सिर्फ मेरे दिमाग का भ्रम... कहना मुश्किल है।

ताज़ा वायरस के मामले में... पहले हाईड्रॉक्सिक्लोरोक्विन को अचूक माना... दुनिया में भगदड़ मची उसको लेने की। फिर उसका नाम हटा लिया, कहा कि वो प्रभावी नहीं। सैनिटाइजर को हर वक़्त जेब में रखने की सलाह के बाद उसके ज़्यादा उपयोग के खतरे भी चुपके से बता दिए गए।

फिर बारी आई प्लाज़्मा थैरेपी की। पूरा माहौल बनाया, रिसर्च रिपोर्ट्स आईं, लोग फिर उसमें जी जान से जुट गए। लेने, अरेंज और मैनेज करने और प्लाज़्मा डोनेट करने में भी। और फिर बहुत सफाई से हाथ झाड़ लिया, ये कहते हुए... कि भाई ये इफेक्टिव नहीं है।

स्टेरॉयड थैरेपी तो क्या कमाल थी भाई साहब। कोई और विकल्प ही नहीं था। कई अवतार मार्केट में पैदा हुए। कालाबाज़ारी हो गई, बेचारी जनता ने भाग दौड़ करते हुए,

मुंहमांगे पैसे दे कर किसी तरह उनका इंतज़ाम किया। अब कहा गया कि ब्लैक फंगस तो स्टेरॉयड के मनमाने प्रयोग का नतीजा है।

रेमडेसीवीर इंजेक्शन तो 'जीवनरक्षक' अलंकार के साथ मार्केट में अवतरित हुआ। इसको ले कर जो मानसिक, शारीरिक और आर्थिक फ्रंट पर युद्ध लड़े जाते उनकी महिमा तो मीडिया में लगभग हर दिन गायी जाती। लेकिन अरबों-खरबों बेचने के बाद अब उसको भी 'अप्रभावी' कह कर चुपचाप साइड में बैठा दिया।

दूसरी तरफ 400 रुपये के मासिक खर्च वाले कोरोनिल, 20 रुपए के काढ़े और 10 रुपए की अमृतधारा को हर दिन कठघरे में जा कर अपने सच्चे और काम की वस्तु होने का प्रमाण देना पड़ता है।

क्लीनिकल रिसर्च ही अगर आधार है तो फिर इतने यू टर्न क्यों? टेस्ट अगर जनता पर ही करने हैं तो फिर हिमालयन जड़ी बूटी वाला खानदानी शफाखाना क्या बुरा है!

जनता का फॉर्मूला शायद बहुत सीधा है: "महंगा है, अंग्रेज़ी नाम है... तो असर ज़रूर करेगा। साइड इफ़ेक्ट? वो तो हर चीज़ में होते हैं।"

आयुर्वेद: आपको अभी पीआर के फ्रंट पर बहुत सीखना है। अपना eco system तैयार करो। नहीं तो, किसी दिन संजीवनी बूटी आई तो उसको भी लोग नकार देंगे। समझे ना...?

पांखी के पेरेंट्स: जी, ये बिटिया का फोटो रिश्ते के लिए...

पिंटू के SBI वाले अंकिल: फोटो के पीछे नाम और एकाउंट नंबर लिखो।

कर्मशील सभी हैं।

सभी अपनी आजीविका चलाने के साथ इस समाज और इस राष्ट्र के विकास में भी भागीदार हैं। देह के साथ देश भी लाभान्वित हो रहा है।

किसान, कारीगर, दिहाड़ी मज़दूर, नौकरीपेशा लोग, गृहिणी, कर्मचारी, कलाकार, शिल्पी, पत्रकार, लेखक, समाजसेवी, सैनिक, व्यापारी, उद्योगपति, नेता... ये सूची लंबी है। कौन ये दावा कर सकता है कि सिर्फ वो ही धुरी है? कौन ये कहने की हिम्मत कर सकता है कि वो जो कर रहा है उसके बदले देश उसको कुछ नहीं दे रहा?

अगर आप मानते हैं कि सिर्फ एक वर्ग ही 'दाता' है, बाकी सभी 'शोषक'... तो गड़बड़ी आपकी सोच में है। टैक्स देने वाला मध्यमवर्ग, उत्पादन और वितरण में लगा हर आम व्यक्ति उस श्रेणी का दाता है जिसका गुणगान किया जाना चाहिए। उसके टैक्स के पैसे से बने राजमार्गों और रेल की पटरियों पर उसका भी कुछ तो हक़ है?

बंद, रुकावट, हड़ताल, रास्ता रोको... ये सिलसिला 'अंग्रेजों भारत छोड़ो' के दौर में परवान चढ़ा। उस समय ये सही भी रहा होगा क्योंकि लोकतंत्र हासिल करना था। राजशाही के समय क्या कोई कानून व्यवस्था अपने हाथ में लेकर लीडर बनने का सपना देख सकता था? शायद नहीं।

"शोषण"... इस शब्द का तो भरपूर दुरुपयोग हुआ है। इसकी व्याख्या मनमाने ढंग से करते हुए गरीब को गरीबी में ही रखने का पाप कर चुके लोगों को अब आत्ममंथन की ज़रूरत है। बहस करने वाले बुद्धिजीवी पहले गरीब की झोपड़ी में आएं, फिर मुँह खोलें। आज़ादी के इतने दशक बाद भी हम उन उद्योगों को गाली देते नहीं थकते जिनको प्रथम प्रधानमंत्री ने नए भारत के तीर्थ की संज्ञा दी थी...!

अब देश हम सभी का है। सभी अपने विचार रखें। मांगें रखें। आलोचना करें। लेकिन देश को, इसकी प्रगति को रोकने का काम...! ये करके कोई अपने आप को नेता कैसे कह सकता है!

आम जनता जब तक मौन रहेगी, ये पाप चलता रहेगा। देश हम सभी का है। इसको रोकने या इसकी आबोहवा बिगाड़ने का काम चाहे कोई भी (कोई भी) करे, उसको एक्सपोज़ किया जाना जरूरी है। आने वाला समय बहुत नए तरह के मास्क पहने लोगों का होगा। क्रन्तिकारी परिवर्तन

का दावा करने वालों से भी सवाल किए जाने चाहिए, चाहे वो इस दल से हो या उस समूह से।

पुनश्चः - ये मेरा व्यक्तिगत मत सभी राजनैतिक दलों पर लागू होता है। किसी एक विचारधारा वाले मित्र को इसे दिल पर लेने की ज़रूरत नहीं।

ब्लॉक नसों को खोलने का
अचूक इलाज; ये वाक्य सुनना:
"मेम साहिब! मैं कल नही आऊँगी!"

मनमोहक। माजुली। मुखौटे।

असम के जोरहाट पहुँच कर ब्रह्मपुत्र नदी के विस्तार को बोट से एक घंटे के यादगार सफर से पार करने पर आप एक अलग दुनिया में पहुँच सकते हैं। ये माजुली है। माजुली मनमोहक है। कहने को तो यह दुनिया के सबसे बड़े रिवर डेल्टा द्वीपों में से एक है... लेकिन समय के साथ यह मानो सिकुड़ रहा है आज इसका क्षेत्रफल महज 500 वर्ग किलोमीटर के लगभग है।

माजुली पहली ही नजर में अपनी हरियाली और सांस्कृतिक वैभव से आपको आकर्षित करता है। यहाँ के धीरेन गोस्वामी उन लोगों में से हैं जो यहां सात्रीय परंपरा से जुड़े लोक नाट्य- भावना को आगे बढ़ा रहे हैं। मास्क बनाना इन प्रदर्शनकारी लोक कलाओं का अभिन्न हिस्सा है।

हम में हर आदमी किसी न किसी मास्क यानी मुखौटे के साथ जीता है। मास्क बनाने की कला हमें एक तरह से जीवन से भी जोड़ती है। माजुली के ये कलाकार मास्क

बनाने को धार्मिक कार्य की तरह करते हैं। सारी सामग्री आसपास से जुटाई जाती है। बाँस का फ्रेम तैयार किया जाता है। उस पर कुम्हार माटी और कपड़े का लेप लगाया जाता है।

बाँस के ही बने औज़ार काम में ले कर मुखौटे को आकार दिया जाता है। आखिर में रंगीन पत्थरों को पीस कर बनाए रंगों से उनको अंतिम रूप दिया जाता है। ज़्यादातर मास्क भागवत-पुराण के चरित्रों को ध्यान में रख कर बनाए जाते हैं। गरुड़, जटायु, हनुमान, हरिण्यकश्यप और मारीच... यहाँ भी अच्छाई और बुराई का सनातन संघर्ष मुखौटों में नज़र आता है।

"एक मुखौटा बनाने में 12 से 15 दिन लग जाता है। कुछ मुखौटे जबड़ा हिलने के आभास के साथ अधिक नाटकीयता उत्पन्न करते हैं। बेचने का काम हमारा नहीं है। हम बस इस बात में खुश हैं कि इन मुखौटों के साथ हम सदियों से चली आ रही धर्म की कथाओं को लोगों तक पहुंचाते हैं," धीरेन मेरे सामने हनुमान जी का मुखौटा पहन 'जय श्री राम' को डायलॉग की तरह बोलने के साथ ही गर्व के साथ छोटी छोटी डिटेल शेयर करते हैं।

माजुली प्रगति कर रहा है। यहाँ के मंदिर जिन्हें 'नामघर' कहा जाता वहाँ आधुनिकता के रंग यहाँ वहाँ नज़र आ जाते

हैं। लेकिन मुखौटे बनाने वाले गोस्वामी परिवार जैसे कुछेक पहरुए सक्रिय हैं तब तक माजुली का सांस्कृतिक वैभव भी टिका रहेगा। प्रवास के दौरान क्लिक किये गए कुछ पल आपसे शेयर कर रहा हूँ।

पांखी की आधी ज़िन्दगी अच्छे पिंटू की तलाश
और बाकी आधी
उस पिंटू की तलाशी लेने में निकल जाएगी!"

अबे, तुम भी बी पॉजिटिव निकले!

चलिए, कुछ शब्दों के बदलते अर्थों और पीछे छुपे सामाजिक-राजनैतिक कारणों पर भी ज्ञान बटोरा जाए।

जैसे कि पिछले कुछ दिनों से: think positive या 'सकारात्मक सोचो'... ये लिखने पर भी अजीब से रिएक्शन आते हैं। एक दोस्त को व्हाट्सअप पे मैंने कहा कि, "...छोड़ो ना यार बाकी बातें, थिंक पॉजिटिव!" बस! वो भड़क गए। बोल उठे: "तुम्हें निष्पक्ष होना चाहिए। तुमसे ये उम्मीद नहीं थी। तुम भी भक्त निकले!!" ये उनका Et tu, Brute? "Even you, Brutus?" मोमेंट था।

'भक्त': हाँ! ये एक दूसरा शब्द है जिसका अर्थ और उपयोग पिछले 5-6 सालों में कितना बदल चुका है! हम बचपन में किसी के बारे में सुनते की, "फलां जी तो पहुँचे हुए भक्त हैं,"... तो उनकी चरण वंदना के दृश्य दिमाग में घूम जाते थे। आज... किसी पे 'भक्त' का टैग लगा के देखो! कई लोग उसको तुरंत unfriend या block कर देंगे। फेमिनिज्म

की झंडाबरदार हों, तो 'भक्त' से रिश्ता तोड़ने की घोषणा कर तालियाँ बटोर ले।

ये ही हाल, दूसरे खेमे में 'बुद्धिजीवी' शब्द को ले कर है। स्थिति ये है कि कुछ संस्थाएं अपनी इवेंट को 'बुद्धिजीवी सम्मेलन' कहने की बजाय अलग नाम से संबोधित करने लगी हैं। ये शब्द कथित ट्रॉलर्स का पसंदीदा बन चुका है।

राष्ट्रवाद: पहले अगर आप किसी की तारीफ करने के लिए मन ही मन कुछ पंक्तियाँ तैयार करें तो..."फलां जी प्रखर राष्ट्रवादी हैं" ऐसा कहने में किसी को कोई दिक्कत नहीं होती थी। आज! मंच से बोल के देखिए ऐसी बात किसी के लिए। श्रोताओं में फुसफुसाहट शुरु हो जाएगी: "अच्छा! तो ये भाई साहब भी उस कलर वाली पॉलिटिकल पार्टी से जुड़े हुए हैं। हम्म्म..."

थोड़े दिन में ये हाल हो जाएगा कि जैसे ही आप फेसबुक पे लिखेंगे: "अहा! हमारा देश एक है!" कुछ मित्र मुँह फुला लेंगे। हो सकता है कि ...उनके कमेंट आएं: "आपसे ये उम्मीद नहीं थी...", "आप को ऐसी पोस्ट से बाज आना चाहिए..."

वैसे इस तरह के शब्दों के अर्थ का रूपांतरण केवल सामाजिक-राजनैतिक क्षेत्र तक सीमित नहीं है। मेरे एक दोस्त ने कुछ दिन पहले ज्ञान का प्रकाश बिखेरते हुए कहा

था: “कॉर्पोरेट सेक्टर में 'सीधा/भोला' होना, एक गाली है।” यानी 'सीधा व्यक्ति'...ये शब्द भी अस्वीकार्य बन चुका है।

मुझे, पता है कि ये पढ़ते-पढ़ते हुए आपके दिमाग में भी कई ऐसे शब्द आ रहे होंगे! ये भी पता है कि इस पोस्ट के साथ चिपके फ़ोटो के भी पॉलिटिकल अर्थ निकाले जाएंगे।

लगे रहिए... कुछ टाइम ही पास होगा।

Doctor: आपके 3 दांत कैसे टूट गए?

Pintoo: पांखी ने कड़क रोटी बनाई थी

Doctor: तो खाने से इनकार कर देते

Pintoo: वही तो किया था!

टनाटन ऑटो की झमाझम यात्रा

सफर की शुरुआत हो चुकी है... रंग-बिरंगी धीमी रोशनी में गद्देदार सीट पर बैठे या यूं कहें कि लगभग धँसे हुए आप हाई फाई स्पीकर से निकल रहे मधुर संगीत का आनंद उठा रहे हैं... बाहर नज़ारे का आनंद ले ही रहे हैं ही कि आप से पूछा जाता है कि क्या सफर के दौर आप छोटी स्क्रीन पर नेटफ्लिक्स का भी आनंद लेना चाहेंगे?

....शाही रेलगाड़ी का नया रूप? लग्जरी यात्रा के लिए पर्यटन विभाग का नया प्रयास? नहीं जनाब, हम बात कर रहे हैं राजस्थान के मारवाड़ क्षेत्र में कई शहरों में चलते-फिरते कलातमक अजूबों यानि सजावटी ऑटो रिक्शा की जिन्हे यहाँ टैक्सी के नाम से पहचाना जाता है। जोधपुर की सडकों पर तरह-तरह की सजावट के कारण पर्यटकों के आकर्षण का केंद्र बन चुकी 'टनाटन टैक्सियों' को सजाने के लिए इनके मालिक की दीवानगी के किस्से काफी रोचक हैं।

भारत के अन्य शहरों की तरह जोधपुर में भी जब किसी शो-रूम से ऑटो-रिक्शा की खरीद की जाती है तो वो एक

साधरण सवारी गाड़ी का ढांचा यानी चेसिस भर होती है। जो बात उसे खास बनाती है उसकी कहानी तो साबिर हुसैन जैसे 'कलाकारो' के वर्कशॉप पर शुरू होती है।

पुराने जोधपुर शहर में अपने कारीगरों के साथ ऐसी ही एक 'दुल्हनियां' की सजा को लास्ट टच देने में जुटे साबिर बताते हैं कि उनके हाथो से निकले फैशनेबुल ऑटो-रिक्शा बाड़मेर, जैसलमेर, भीलवाड़ा और पाली की शान बढ़ा रहे हैं।

साबिर के वर्कशॉप से कुछ दूर नई सड़क मार्किट के टैक्सी स्टैंड का नज़ारा बिना दीवारो वाली आर्ट-गैलरी जैसा है। एक दूसरे से सट कर खड़ी टैक्सियों के छज्जो से लटकते सुनहरे झूमर, ऊपरी भाग में रंग-बिरंगे फूल और टैक्सी के पीछे की तरफ कैलीग्राफी का कमाल... कुल मिला कर हर टैक्सी उसके मालिक की पसंद, स्थिति जीवन और दीवानगी के लेवल को प्रकट करती है।

पर्यटकों के बीच इसी प्रसिद्धि को ध्यान में रखते हुए ही अब नामी-गिरामी होटल समूहों की किताबों में जोधपुरी टैक्सियों का परिचय नजर आने लगा है। निर्देशक भारतबाला की हिंदी फिल्म 'हरि ओम' की स्टोरी भी ऐसी ही जोधपुरी टैक्सी में भ्रमण के गिर्द-घूमती है।

बात को थोड़ा ग्लोबल टच देते हुए सजावटी ऑटो की प्रशंसक मुंबई की जय लक्ष्मी कहती हैं कि वे जब पहली बार

राजस्थान आयीं तो सजी-धजी ऑटो को देख उन्हे पाकिस्तान में कराची के सजीले ट्रकों की मिसाल याद आ गई। उनके अनुसार, "करांची में ट्रक मलिको में सजावट को ले कर होड़ रहती है और लगभाग वैसा ही जूनून यहाँ के ऑटो-मालिको में देखने को मिला है।"

इसी होड़ के चलते यहां उन दीवानों की कमी नहीं है जो अपनी टैक्सी को किसी भी सूरत में आस-पास की दूसरी टैक्सियों से ज़्यादा सजा हुआ देखना चाहते हैं। इसी चाहत के चलते आज जोधपुरी टैक्सीयो में आपको अतिधुनिक एमपीथ्री प्लेयर युक्त हाई-फाई म्यूजिक सिस्टम, मिनी टीवी सेट, रिमोट से संचालित हॉर्न, टैक्सी के मुकुट पर सजे एंटेना, मिनी-डिश जैसे कई अनोखे प्रयोग देखने को मिल जाएंगे।

और जब बात अपना शौक पूरा करने की हो तो खर्च की फ़िक्र किस होती है? रेलवे स्टेशन पर अपनी सजीली टैक्सी के पास खड़े हो कर सेल्फी के लिए पोज देते हुए हेम सिंह बताते हैं कि उन्होंने अपनी टैक्सी की सजावट में जितना खर्चा किया है वो पैसा उनके डेढ़ साल की कमाई के बराबर है। साबिर हुसैन के शब्दों में, "आम-तौर पर ठीक ठाक काम करवा कर वर्कशॉप से बाहर निकलने में 50-55 हजार का खर्च आता है। इसमे साधरण म्यूजिक सिस्टम, गद्देदार सीटे, चमकदार स्टिकर्स से सजावट और पीछे के

झरोखा फ्रेम में फरमाइश पर आधारित तस्वीर लगाना शामिल होता है।"

हालंकि सभी ऑटो का मूल रंग काले और पीले का पारंपरिक पैटर्न होने के कारण सजावट की संभावनाएं सीमित हैं लेकिन बची हुयी गुंजाईश का पूरा उपयोग होता है और साबिर जैसे 'कलाकारों ' के सामने फरमाईशों की लिस्ट लंबी होती है। कभी टैक्सी की आवाज़ में एकरसता को तोडने का रास्ता निकला जाता है और पहियो या शॉकर्स के साथ घुंघरू बंधे जाते हैं ताकी खड्डो और उबड़ खाबड़ सडकों पर टैक्सी छन-छन आवाज़ भी पैदा करे।

ध्यान आकृष्ट करने के लिए ही पिछले फ्रेम और उसके नीचे की जगह का तड़क-भड़क सहित उपयोग किया जाता है। एक और कलाकार प्रवीण के अनुसार, ''फ्रेम में जड़े आकर्षक पोस्टर जड़े जाते हैं जिनमे बॉलीवुड के नायक- नायिकाएं पहली पसंद होते हैं। उनके नीचे स्टील के सजावटी अक्षर या "ड्रीमगर्ल", "शंशाह" या "बाजीगर" लिखा कोई क्रिएटिव आर्ट पीस जुड़ा होता है।

टैक्सी के म्यूजिक सिस्टम पर बजने वाले गीत आपको ये संकेत भी दे देते हैं की आजकल कौन से गाने हिट हैं। हालाँकि फिल्मी नज़ारों के बाद यहां की टैक्सियों के पीछे लिखे दिखने वाले संदेशो में "मां का आशीर्वाद", "सबका दाता

एक" और "कोई किसी का नहीं" जैसी पंक्तियाँ काफी आम हैं। हाईवे पर ट्रकों के पीछे लिखे रोचक संदेशो की तरह यहाँ भी कई बार "13 मेरा 7", "जिनको जल्दी थी वो... चले गए" जैसी पंच लाइन्स भी दिख जाती हैं।

एक संदेश जो शहर की लगभाग सभी ऑटो के पीछे लिखा है वो आपको बताता है: "आपातकाल और प्रसव के समय निःशुल्क सेवा"। ये संदेश किसी कॉर्पोरेट समूह के सोशल रिस्पांसिबिलिटी विभाग की तर्ज पर छवि निर्माण का एक सहज प्रयास है। कई विधानसभा चुनावो में जोधपुर के सरदारपुरा विधानसभा क्षेत्र में एक टैक्सी-चालक प्यारे लाल का अभियान इसी तरह की रचनात्मक जूनून की एक और उड़ान था। इन जनाब ने तो टैक्सी को चुनावी रथ का रूप दे दिया और उसके सहारे ही अपना अभियान चलाया।

पांखी (singing):	फलक तक चल साथ मेरे...!
ऑटो वाले भैया:	मैडम, उल्टा पड़ेगा...वापसी में सवारी नहीं होगी। खाली आना होगा।

उफ्फ वो टैलेंटेड बच्चे

पिंटू बाबू बडे शौकीन तबीयत वाले साहबजादे हैं। मां बाप ने उनका ये नाम बड़े प्यार से रखा है। पिताजी उनकी फरमाईशों को पूरा करने में देर नहीं लगाते है। वे अक्सर कहते है "न चापत्यसमः स्नेही" - सन्तान के समान कोई दूसरा स्नेह पात्र नहीं है।

खुद पिंटू बाबू भी अपने नाम को सार्थक करने में कहाँ पीछें रहे है? स्टडी रूम के नाम पर घर में एक अलग कमरा अलॉट करवा लिया है। बड़ी मेहनत करनी पड़ती है ना बोर्ड की परीक्षा के लिए! वैसे अपने कमरे में शौक मौज का सारा इन्तजाम करवा लिया है उन्होंने। छोटा सा पर्सनल टी.वी., उसमें सारे ओटीटी के देखने की सुविधा, वीडियों गेम, वॉल पर सजे फिल्मी पोस्टर और इधर उधर किताबों के ढेर जिनमें कुछेक कोर्स की किताबें भी हैं... कुल मिलाकर जिन्दगी बड़े मजे से कट रही थी उनकी।

....थी? हाँ जनाब। लगता है पिंटू बाबू के लिये 'सुख भरे दिन बीते रे भैया अब दुःख आयो रे' जैसा

कोई गीत गुनगुनाने का समय आ गया है। सच कहा जाए तो लोकतंत्र का चौथा स्तम्भ उनकी मौज मस्ती पर हथौड़े की तरह पड़ा है।

पिछले मंगलवार की अमांगलिक सुबह थी जब उनके लिये मुसीबतों का पैगाम अखबार में एक खबर के रूप में छपा। बाहरवी कक्षा का परिणाम उस दिन घोषित हुआ था और मुखपृष्ठ पर योग्यता सूची में आने वाले छात्र-छात्राओं का विस्तृत परिचय उनके फोटों के साथ छपा था।

वे रोज की तरह उस दिन भी साढ़े आठ बजे बिस्तर छोड़कर अपने कक्ष से बाहर तशरीफ लाए तो रोज की तरह ही माँ और पिताजी उन्हें नाश्ते की टेबल पर मिले. रोज की तरह ही उनका नाश्ता भी लगा हुआ था। बस अन्तर था तो इतना कि पिताजी ऊंची आवाज में ये मनहूस खबर माँ को पढ़ कर सुना रहे थे। अरे भाई जो खबर पिंटू का सुख चैन छीन ले उसे मनहूस ही तो कहेंगे।

“सुनो ये लड़का आगे क्या कहता है।” पिताजी ने पिंटू बाबू की ‘गुड मॉर्निंग का जवाब दिये बिना आगे पढ़ना शुरू किया- “मैं प्रतिदिन पाँच से सात घंटे की पढ़ायी किया करता था, पढ़ायी में बाधा न पड़े इसलिए टी.वी. पर सिर्फ समाचार और ज्ञानवर्धक कार्यक्रम ही देखता था। मोबाइल सिर्फ एक घंटे... वैसे मेरी हॉबी भाषण प्रतियोगिताओं में भाग लेना भी है जिसमें मैंने कई पुरस्कार जीते हैं।

इतना पढ़ कर पिताजी ने तिरछी नजरों से पिंटू को देखा ओर बोले- "अपने शहर के चार लड़के मैरिट में आये हैं इस बार।"

पिंटू बाबू इस अनपेक्षित खबर के लिये तैयार नहीं थे इसलिए चाय को निगलते हुए इतना ही बोल सके- "अच्छा!"

अगला डायलॉग माँ की तरफ से था, "आजकल के बच्चे कितने प्रतिभाशाली होते हैं, पढ़ायी में भी तेज और प्रतियोगिताओं में भी सबसे आगे।"

पिंटू बाबू समझ गये थे कि इस डायलॉग में आजकल के बच्चे का मुहावरेदार प्रयोग मॉ ने बहुत सोच समझ कर किया था और इस समूह में उनको कतई शामिल नहीं किया था। फिर भी वे खिसियानी सी हंसी के साथ सहमति में सिर हिला गये।

अब पिताजी की बारी थी एक गहरी साँस छोड़ते हुए वे कहने लगे- "विद्यातुराणां न सुखं न निद्रा - विद्या के लिए आतुर व्यक्ति को कहाँ सुख, कहाँ नींद।"

ये सुनते ही पिंटू बाबू सचमुच गंभीर हो गये। वे जानते थे कि पिताजी संस्कृत की सूक्तियां तभी बोलते हैं जब ज्यादा खुश या ज्यादा दुःखी हों। उन्हें लगा कि धर्मशास्त्रों के पन्नों में दबी ये बातें निकलकर उन पर ही प्रहार कर रही

हैं। बस किसी तरह चाय निगल कर वे नित्यकर्म का बहाना बना शौचालय में घुस गये।

कमोड पर भी वे महान विचारकों की मुद्रा में बैठे सोच रहे थे। सच कहा जाए तो उन प्रतिभाओं को कोस रहे थे जिनके कारण ब्रह्म मुहूर्त में उन्हें इतना मानसिक तनाव झेलना पड़ा। उन्हें परीक्षा के वे दिन याद आ रहे थे जब दो घंटे भी यदि ठीक से पढ़ लिया जाता तो माँ कहती थी- "देखो कितनी मेहनत करनी पड़ रही है हमारे पिंटू को।" वे बड़ी शान से कॉलोनी की आँखों के बीच में सूचना प्रसारित करती थी कि उनका बेटा इस बार बोर्ड परीक्षा में बैठ रहा है।

परन्तु अब लगता था कि गर्व करने के लिये योग्यता का पैमाना बदल गया था और नये पैमाने पर पिंटू बाबू कहीं नहीं टिकते। विचारों के भार से दबे पिंटू महाशय शौचालय से निकले और हाथ धो कर मूड फ्रेश करने के लिए टी.वी. ऑन कर फैवरेट सीरीज देखने बैठ गये। अभी पश्चिमी संगीत पर थिरकती बालाओं पर उनकी नजरे जमी ही थी कि माँ आयी और रूपये थमाती हुयी बोली- 'जाओ मार्केट से सब्जी ले आओ। दिन भर बैसिरपैर की चीज़ें देखने से अच्छा है घर के काम में हाथ बंटाओ।"

पिंटू बाबू समझ गये कि मेरिट वाली प्रतिभा की बात माँ के दिमाग में बैठ गयी हैं क्योंकि रोज तो मां खुद ही सब्जी

खरीदने जाया करती थी! खैर... टी.वी. ऑफ कर कपड़े पहने और वो निकल पड़े सब्जी लाने।

अभी घर से निकले ही थे कि पड़ौस के शर्मा अंकल मिल गये। पिंटू बाबू को देखते ही जोर से बोले- वाह भई आज तो मजा आ गया। पिंटू ने सोचा जरूर वे किसी रोचक वेब सीरीज की बात सुनाएँगे, सो पूछा- "वो कैसे?"

शर्मा अंकल बोले- 'अरे अपने शहर का नाम रोशन हुआ है, एक ही स्कूल के चार-चार लड़के मेरिट में, भाई कमाल है।"

अब तो मानो पिंटू के सिर पर बिजली गिरी। वो समझ गये कि अगला डायलॉग फिर उन पर प्रहार करने वाला होगा। सो तेज कदमों से सब्जी की दुकान की तरफ जाते हुए बोले, "हाँ अंकल कमाल तो हुआ ही है..."

सब्जी की दुकान पर पहुंच कर वे बड़े चैन से सब्जी वाले को निर्देश देने लगे कि अचानक सब्जी वाला सब्जी तौलता हुआ रुका और कहने लगा- "पिंटू बाबू! तुम्हारा रिजल्ट कब आने वाला है? सुना है अपने शहर के चार-चार लड़के इस बार...

और पिंटू की आँखों के आगे अंधेरा छाने लगा।

पिंटू सूचना:

कृपया ध्यान दें:

1. शादियों के अलावा सांप कहीं डांस नहीं करते,
2. दूध के शौकीन नहीं होते,
3. बदला लेने के लिए बॉलीवुड स्टाइल में पुनर्जन्म नहीं लेते,
4. इनकी आँखों में फ़ोटो सेव करने का कोई ऑप्शन नहीं होता,
5. सभी साँप ज़हरीले नहीं होते (आस्तीन वालों को छोड़ के) और....
6. इनके माथे पर मणि टाइप का कोई अटैचमेंट नहीं होता।

(निवेदन: साँपों को नेताओं से जोड़ा तो ऐसी बेइज़्ज़ती पे आपको सर्प समाज का श्राप लगेगा...)

चांदी का वर्क है करेले की मिठाई पर

इक्कीस वर्षीय शरद कुमार, शहर के पॉश इलाके में प्राइवेट अस्पताल की चार मंजिला इमारत के सामने रुकते हैं। बाइक को स्टैंड पर लगाने के बाद वो माथे पर चमक रही पसीने की बूंदों को सलीके से रूमाल में सहेज लेते हैं। अस्पताल के मुख्य द्वार में घुसते हुए शरद नजदीक स्थित दवा की दुकान पर खड़े व्यक्ति की तरफ मुस्कुराहट फेंकना नहीं भूलते।

रिसेप्शनिस्ट से संक्षिप्त जानकारी लेने के बाद सीढ़ियां पार करते हुए वे एक बार अपने भारी बैग को मानो तौलते हुए हिलाते हैं। पहले ही कक्ष में डॉक्टर की उपस्थिति पाकर वे अंदर प्रवेश करना चाहते हैं, लेकिन कक्ष के बाहर भूरी पर्ची पर लिखे शब्द उनका ध्यान खींच लेते हैं।

वहां लिखा है- 'एम आर'ज़ आर नॉट अलाउड'! वे बनावटी मुस्कुराहट के साथ डॉक्टर का अभिवादन कर बाहर जाने के लिए पलट जाते हैं।

शरद के साथ हुई यह घटना किसी अति का उदाहरण मानी जा सकती है, परंतु वास्तविकता यह है कि मेडिकल रीप्रजेंटेटिव हर तरह की विपरीत स्थितियों में अपने काम को अंजाम दे रहे हैं। ऐसे में भी उनके ऊपर कंपनी की तलवार हमेशा लटकती रहती है जो किसी भी वक्त उनके लिए असुविधा का कारण बन सकती है।

एक कांफ्रेंस में भाग लेने आए सुरेश गोयल मानते हैं कि इस 'लाइन' में आने के बाद 'फेमिली लाइफ' काफी प्रभावित हुई। प्रति माह बारह दौरे करने के बाद घरेलू कार्यों को पूरा कर पाना कठिन हो जाता है। दिनचर्या भी कुछ ऐसी कि सुबह 8 बजे घर से निकलने के बाद दिन भर संपर्क कार्य जारी रखना पड़ता है। कई बार आधी रात को ही थकान मिटाने का मौका मिल पाता है।

जब पूछा गया कि इतनी परेशानियों के बावजूद वह कौनसी बात है जो बड़ी संख्या में युवाओं को इस ओर आकर्षित कर रही है? जवाब मिला - पैसा, या शायद सिर्फ 'ग्लैमर'। ऐसा लगता है कि इस क्षेत्र में पैसा अच्छा मिलता है, परंतु वास्तविकता यह है कि कई फर्में पाँच हज़ार रुपए प्रतिमाह पर भी नियुक्ति देती हैं।

एक प्रतिनिधि का कहना था कि हमें हर स्थिति को मुस्कुराकर झेलने के लिए तैयार रहना पड़ता है। बीएससी या

डी फार्मा की योग्यता रखने वाले ये प्रतिनिधि व्यवहार कुशल होने के साथ ही अच्छे अभिनेता भी होते हैं। काम करते वक्त पहनावे में दिखावा उतना ही जरूरी होता है जितना की व्यवहार में।

जोधपुर के जगत श्रीवास्तव बताते हैं कि कई प्रत्याशी साक्षात्कार से सिर्फ इसलिए बाहर कर दिए जाते हैं कि उन्होंने टाई नहीं पहन रखी थी। टिप-टॉप रहना यहां की मुख्य शर्त है। तय क्षेत्र में पहले से निश्चित कार्यक्रम के अनुसार चिकित्सकों और विक्रेताओं से मिलते हुए हर बार उन्हें अलग ही ढंग से पेश आना होता है। राहुल कक्कड़ अपनी बात रखते हुए अपने साथियों की यह पीड़ा बताते हैं कि एमआर बनने के बाद भी 'जॉब सिक्यूरिटी' नहीं है।

कंपनी अपनी इच्छा से देश के किसी भी हिस्से में भेज दे या छुट्टी कर दे, कुछ भी संभव है। तनख्वाह समय पर नहीं मिल पाना भी काफी परेशान करता है। कंपनी लेना तो जानती है, पर उतनी तत्परता देते हुए नहीं दिखाती। अजय दत्त अपनी चर्चा में उन साथियों के बारे में बताते हुए भावुक हो जाते हैं जो अपना परिवार छोड़कर यहां आते हैं।

वे बताते हैं कि बाहरी चमक- दमक के नीचे ढेरों दर्द छिपे हैं। घरेलू काम के लिए समय निकालने की कोशिश करो तो दूर रह जाते हैं और दूर नहीं करें तो एरिया मैनेजर

का 'डंडा' आता है। हर व्यक्ति से इतने प्रोफेशनल तरीके से बात होती है कि व्यक्तिगत परेशानियों को बांटने का वक्त ही नहीं मिल पाता। कई बार चिकित्सकों का रवैया तल्खी बढ़ा देता है। 200-300 किलोमीटर की यात्रा कर मिलने पर कई डॉक्टर बिना किसी कारण दो मिनट का समय देना भी गवारा नहीं करते।

महेन्द्र जोशी बताते हैं कि शहर में लगभग पांच सौ प्रतिनिधि हैं और आधे से ज्यादा बाहरी क्षेत्रों से हैं। प्रतिदिन लंबी भाग-दौड़ के बाद दैनिक रिपोर्ट तैयार करके भेजना भी जरूरी होता है। अब तक इस कार्य को यात्रा की अधिकता के कारण लड़कियों के अनुकूल नहीं माना जाता था, परंतु दो वर्षों में लगभग सत्रह महिला प्रतिनिधि शहर में सक्रिय हो चुकी हैं। इनसे बात करने पर लगा कि रात्रि ठहराव वाले दौरों से छूट मिलने के कारण उन्हें थोड़ी राहत - मिल जाती है, परंतु कंपनी के रवैये से आर्थिक असुरक्षा की भावना वहां भी मौजूद है।

एक प्रतिनिधि ने बताया कि कई बार चिकित्सकों द्वारा विशेष उपहारों की मांग भी उन्हें अजीब परिस्थिति में डाल देती है। यह तो हमारी अभिनय क्षमता का कमाल है कि हम उन पर अपने अंदरूनी विचार जाहिर नहीं होने देते वरना..।

रोगों से निजात दिलाने वाली नई पद्धतियों को चिकित्सकों तक पहुंचाने वाले युवकों के समूह से विदा लेते हुए अजय दत्त ने एमआर पेशे को जिन पंक्तियों में बयान किया वें उनकी प्रत्येक समस्या अपने में समेटी प्रतीत हुईं।

'मत जाएं इस प्रोफेशन की सीधाई पर,

चांदी का वर्क है करेले की मिठाई पर

"पांखी की

आधी से ज्यादा जिंदगी

अपनी फोटो के नीचे...

Thank you

बोलने में बीत जाएगी!"

(पिंटू वादियों का राष्ट्रीय नारा: Nice DP!!)

तीसरी दुनिया से विदाई

किन्नरों के अपने अपने बड़े व्यवस्थित समूह होते हैं जिन्हें इलाके के हिसाब से गद्दी का दिया जाता है। जोधपुर गद्दी की मुखिया होने और राजनीतिक सफलता का आनंद लेने के बाद, कमला बुआ वास्तव में अपने समुदाय में एक प्रतिष्ठित व्यक्ति है।

उम्र के 70 दशक पूरे करने के बाद वो जीते जी मोक्ष पाने की तैयारी कर रही है। वो प्रार्थना कर रही है ताकि उसे मनुष्य के रूप में पुनर्जन्म नहीं लेना पड़े। और अगर ऐसा होता भी हो तो भी वह प्रार्थना कर रही है कि उसका लिंग अधिक स्पष्ट रूप से परिभाषित किया जाना चाहिए।

जोधपुर के प्रसिद्ध घंटाघर मार्किट के पास जोधपुर गद्दी की हवेली पर एक नज़र डालने से पता चलता है कि वहाँ एक अजीबोगरीब उत्सव के रूप में जगह-जगह नाच-गाना चल रहा है।

एक साधारण पूछताछ से पता चलता है कि उसका समुदाय मुखिया के चेहलम में शामिल होने आया है। जो

भी क्रिया कर्म और अनुष्ठान मरने के बाद किए जाते हैं वो कमला बुआ के लिए किए जा रहे हैं। लेकिन उसकी मृत्यु से पहले समारोह क्यों किया जा रहा था?

“भले ही अनुष्ठान मृत्यु से जुड़ा हुआ है, लेकिन मैं कोई मौका नहीं लेना चाहती। सनातन धर्म में पुत्र ये संस्कार किया करता है। मेरे तो औलाद हो नहीं सकती। खुद का बेटा या बेटी खुद को ही बनना है,” वह अपनी आँखों में चमक के साथ कहती है।

उसे पता है कि मौत को एक दिन आना है। किन्नरों की इस हवेली में किसी की मौत के बाद जो रिवाज है उसी तरीके से उसके शव को भी शमशान तक ले जाया जायेगा- जूतों से पीटते हुए। यह ब्रह्माण्ड को ये संकेत देने के लिए, कि उसे अगले जनम इस तरह के शरीर में नहीं आना है।”

लेकिन अभी तो कमला बुआ अपने मृत्य उत्सव का खुद आनंद ले रही है। एक सप्ताह से उत्सव चल रहा है। कलश यात्रा में तमिलनाडु, महाराष्ट्र, गुजरात, एमपी और यूपी के सैकड़ों किन्नरों ने भाग लिया। कमला बुआ के चेहलम में भाग लेना उनके लिए गर्व की बात है।

एक उत्साही आगंतुक हेमा के लिए, जो महाराष्ट्र से आई है, यह सिर्फ एक गीत और नृत्य का उत्सव नहीं है। “यह हमारे समुदाय के लोगों से मिलने का एक शानदार अवसर है।”

फिर कुछ ऐसे भी हैं जो कमला बुआ की सफलता को दोहराना चाहती हूं। उनकी उत्तराधिकारी डिंपल का कहना है कि किन्नर समुदाय "ना ये, ना वो" के टैग से हट रहा है। समाज में पहले भी उनका सम्मान था और आज भी है। अब किसे पता कि हवेली से निकला किन्नर नेता या अभिनेता बन जाए!" बात में दम है।

Pintoo Gyaani

हर बार, सिर्फ अल्फ़ाज़ ही

काफी नही होते...

किसी को समझाने के लिए!

(कभी-कभी चांटे भी लगाने पड़ सकते हैं।)

रोवतो जावे, मरिया री खबर लावे

बुजुर्गों की बातें अगर सीधे-सीधे भेजे में घुसने लग जाए तो फिर कहना ही क्या! बचपन से एक सीख अलग-अलग तरीके से दी गई। लेकिन उसकी गहराई समझने में बहुत समय लग गया। दादीजी कहा करती थी 'शुद्ध बोली राखो, जुबान माथे सरस्वती होवे'।

माँ ने भी कहा कि 'मनसा जिसी दसा'- जैसा सोचोगे, वैसे बन जाओगे। लेकिन मन और बुद्धि तो चंचल है! फिसलन भरे रास्ते पर चलते-चलते नेगेटिविटी की तरफ लुढ़क ही जाती। बड़ेरे भी कह गए कि अपने मूड और जुबान को पॉजिटिविटी में रखना चाहिए।

'रोवतो-रोवतो जावे, मरिया री खबर लावे।' यानी, अगर नकारात्मक सोच के साथ शुरुआत करोगे तो परिणाम भी वैसा ही मिलेगा। लेकिन डिग्रियों के बोझ तले दबी बुद्धि को ये सीधी सी बात ऐसे थोड़े ही समझ आती! इस कान से सुना, उधर से निकाल दिया।

चीजों को स्वीकारने की हमारी शर्त भी निराली है। योग जैसा शब्द जब तक ऋषि मुनियों के मुख से निकला, तब तक कुछ भी खास नहीं था। दिमाग में घुस ही नहीं रहा था। लेकिन जब से विदेशियों ने इसको 'योगा' जैसे म्यूजिकल टैग का चोगा पहना कर पुनः अवतरित करवाया तो हम आल्हादित हो उठे।

अहा! फिर तो क्या आनंद आया हमें, शीर्षासन करने में। चटाई से योगा मैट तक का सफर तय करने में 'बेचारे' योगासन को अमेरिका तक का चक्कर काटकर नए नाम के साथ भारत आना पड़ा तब कहीं जाकर हमने उस को गले लगाया।

लगभग यही हाल आयुर्वेद का भी है। कोरोना ने भले ही दुनिया को कितना भी परेशान किया हो, लेकिन एक बात तो तय है। उसके चलते आयुर्वेद ने कई नए नामों के साथ और अंग्रेजी का चोगा पहनकर हमारे जीवन में एक हीरो के रूप में एंट्री ले ही ली है। आज इम्यूनिटी बूस्टर टैग के साथ कई प्राचीन नुस्खे हमारे जीवन में जगह बनाने लगे हैं।

हमारे पास में किसी प्राचीन ज्ञान या सनातन वैभव के लिए शुक्रगुजार होने का मौका या कारण होता भी नहीं है। नकारात्मकता हमें चुम्बक की तरह खींचती है। हम रोना रोने में माहिर हैं। किसी से बिजनेस का हाल पूछो तो जवाब

मिलेगा, "हाल बहुत खराब है। सब कुछ ठंडा है। मार्केट में जान ही नहीं है।" और फिर सत्यनारायण जी की कथा के अनुसार वैसा ही सच में घटित भी होने लगता है। याद है ना आपको! वो सेठ, जिसने अपनी नाव में धन होने के बावजूद लता-पत्ता होने की बात कही और सच में वैसा हो भी गया।

अक्सर महंगाई या फिर आर्थिक परेशानियों का रोना रोने वाले, हम लोग, बहुत सहज तरीके से परिस्थितियों आसपास के लोगों या फिर सरकार पर अपनी परेशानियों की जिम्मेदारी डाल कर थोड़ा रिलीफ महसूस करने की कोशिश करते है।

लेकिन क्वांटम फिजिक्स जैसे वैज्ञानिक सिद्धांत अब जबकि ये सिद्ध कर चुके हैं कि विचारों की फ्रीक्वेंसी हमारे कार्यों के परिणाम को प्रभावित करती है। अब जब पश्चिम के अंग्रेजीदां विचारक गीता में कृष्ण के उपदेश को नए पैकेज में ला चुके हैं। जब बताया जा चुका है कि नकारात्मकता और सकारात्मकता दोनों ही एक छूत की तरह तेजी से फैलती है... तो क्यों नहीं हम अपने आज के बारे में कुछ अच्छा बोलें और सोचें।

शुरुआत खुद से ही करें। ये स्वीकार करें कि आने वाले साल समृद्धि से भरपूर हैं। मन में उठ रही शंकाओं को

एक बार दूर कर दें। 'रोवतो जावे, मरिया री खबर लावे' जैसी गूढ़ कहावत नहीं मानते हैं तो क्वांटम फिजिक्स के विदेशी शोध के आधार पर ही सही, ये कर के देखें... सुकून मिलेगा।

> "बोलते हैं कि पिछले 60 साल से
> congress ने देश को सिर्फ लूटा है
> (फिर लुटी हुई प्रजा पर इतने टैक्स क्यों भाई!)

ये चिड़िया बहुत चिड़चिड़ी है

गप्पें लगाना... या यूँ कहें कि बहस करना हमारा राष्ट्रीय शौक है। इतिहास और हमारे शास्त्र गवाह हैं कि शास्त्रार्थ जैसे सार्थक माध्यमों से शुरू हो कर मजलिसों और बैठकों से होते हुए कॉफी हाउस तक, वाद-विवाद की कला ने लंबा रास्ता तय किया है। देसी विदेशी लेखकों ने कई किताबों में भारतीयों के बहस करने की कला का बखान किया है। जुबानी दंगल में माहिर लोगों को कई बार पिछले रास्ते से संसद में एंट्री भी दी गई।

देसी विशेषताओं में विविधताओं के बहुरंगी मोतियों के बीच अगर कोई एक खासियत धागे की तरह मौजूद है तो वो है... हमारी 'पंचायती' करने की शाश्वत-सत्य आदत। हमनें अपने सभी संस्कारों से दूरी बनाना मंज़ूर कर लिया लेकिन दूसरे के पर्सनल बौद्धिक घेरे में अपनी टांग अडाने के कौशल को छोड़ना मंज़ूर नहीं किया। नीति वाक्यों की बोरियत भरी दुनिया से दूर हमें 'जान जाए पर (प्र)वचन न जाए', 'पर उपदेश कुशल बहु(तेरे)' जैसे निंदा रस भरे जुमले जीवन का सार महसूस होते हैं।

इस धर्म निरपेक्ष सिद्धांत के प्रति डेडिकेशन और गप्पबाजी के घनत्व-क्षेत्रफल के आधार पर हमारे पारिवारिक और सामुदायिक मिलन स्पॉट्स को भी पॉपुलैरिटी की रेटिंग इस आधार पर मिलती है कि कौनसी थड़ी या हथाई पर गप्पबाजी में मिर्च मसाला ज़्यादा होता है। प्रोडक्टिविटी जैसे भारी शब्दों से दूर, गप्प गोष्ठियों के संसार में खुद के दिल और दिमाग की खुजली को शांत करने का उद्देश्य ही सर्वोपरि माना जाता है।

तमाम आलोचनाओं के बावजूद इसमें कोई संदेह नहीं कि इस तरह की बैठकों ने सोशल नेटवर्किंग को अपने तरीके से परिभाषित किया है। कुछ सालों से हमारी हर परम्परा की तरह गपोड़ों की दुनिया में भी डिजिटल युग का पदार्पण हुआ और ऑरकुट की नर्सरी में तैयार पौधे अब फेसबुक और ट्विटर की बगिया में महक और बहक रहे हैं।

पिछले ट्रेंड पर नज़र डाली जाए तो सोशल मीडिया के इन प्लेटफॉर्म्स पर भारतीय डिजिटल योद्धाओं के जलवे धमाकेदार तरीके से छाए रहे हैं। अब हम धमाकेदार कह रहे हैं तो इसका मतलब ये नहीं है कि हम अपने इन योद्धाओं की बड़ाई ही मार रहे हैं। भाई हम भी निंदा रस में डूबे हुए ही उनका बखान कर रहे हैं।

हम बात कर रहे हैं न ट्रोलर्स की, जिनके कारण आए दिन इस या उस व्यक्ति, वस्तु अथवा सामग्री के बहिष्कार

करने की मुहिम वाले हैशटैग ट्रेंड हो जाते हैं। पिछले दिनों एक मित्र ने सोशल मीडिया को हल्के फुल्के तरीके से परिभाषित करते हुए कहा कि जहाँ फेसबुक एक बगीचे में सैर की तरह है जहाँ लोग लाइक्स बटोरने, ताका झांकी करने या शो-ऑफ यानि कि दिखावा करने आते हैं वहीं ट्विटर की दुनिया एकदम बेरहम है। वो एक युद्ध का मैदान है जहाँ पर अक्सर एक दूसरे के पीछे पड़ने और विरोधी की वैचारिक हत्या के प्रयास किए जाते हैं।

ट्रोलर्स की तगड़ी टोली हर तरह के विचार के समर्थन या विरोध में डटी हुई नजर आती है। इनका काम कुछ खास नहीं होता। बस अपने तरकश में ये खिल्ली उड़ाने और कुचरणी करने का सामान लिए किसी ऐसे ट्वीट या मुद्दे की इंतज़ार में रहते हैं जिसके सहारे किसी के पीछे पड़ा जा सके।

आज तो हालात इतने गंभीर हो चुके हैं कि जाने माने नेता, खिलाड़ी और अभिनेता सामान्य उत्सवों पर बधाई संदेश लिख कर ट्वीट करने से पहले भी दो-तीन बार सोच लेते हैं कि कहीं उनके किसी शब्द से इस या उस खेमे में कोई आहत तो नहीं हो जाएगा!

ट्विटर का प्रतीक एक चिड़िया है। आजकल ये चिड़िया इतनी चिड़चिड़ी होती जा रही है कि ट्रम्प से लगा कर मोदी, सचिन तेंदुलकर से लगा कर अमिताभ बच्चन तक हर कोई

इस चिड़चिड़ेपन की चपेट में आ चुका है। जेम्स बांड की भूमिका निभाने वाले पियर्स ब्रॉस्नन ने एक पान मसाले के विज्ञापन में अपनी उपस्थिति क्या दर्ज करवाई, कुछ ही घंटों में उनके ट्वीटर हैंडल पर इंडियन ट्रोलर्स ने धमाचौकड़ी मचा दी।

उनकी टीम को आखिर में स्पष्टीकरण दे कर मामले को शांत करना पड़ा। अमरीकी राष्ट्रपति ट्रम्प ने भारत की आबोहवा पर टिप्पणी क्या की, यहाँ के सूरमाओं ने ट्विटर पर तरह तरह की टिप्पणियों से पूरे अमरीका के बैंड बजाना शुरू कर दिया। पाकिस्तानी प्रधानमंत्री तो लगभग हर पोस्ट पर हमारे ट्रोलर्स का शिकार हो जाते हैं।

हर किसी उत्पाद की अपनी यूएसपी- यूनिक सैलिंग पॉइंट यानी वो एक खासियत होती है जो उसको मार्केट में टिकाए रखती है। फिलहाल ट्विटर की चिड़िया ने चिड़चिड़ेपन को अपना यूएसपी बना रखा है। निजता के उल्लंघन के आरोपों के जवाब तो शायद आँकड़ों में मिल जाएंगे, लेकिन चिड़चिड़ापन! उसका किसी चिड़िया के पास कोई जवाब नहीं होगा।

पिंटू और पांखी एक ही प्लेट में गोलगप्पे खा रहे थे...

एक दूसरे की आँख में आँख डाले

पांखी (झिझकते हुए): "ऐसे क्या देख रहे हो!"

पिंटू: "थोडा आराम से खा...

मेरी बारी ही नहीं आ रही!"

महामना! हिन्दी की याचिका पुनः उपस्थित है

"जनाब! मुकदमा अनवान सदर में अर्ज मुद्दई हस्ब जेल है।" न्यायालयों में दावा लिखवाते समय अधिवक्ताओं द्‌वारा काम में ली जा रही 'हिन्दी' भाषा की यह परम्परा शायद "मी लॉर्ड" के सम्बोधन से

भी पुरानी है।

इसी परम्परागत वाक्य को राजस्थान उच्च न्यायालय जोधपुर में अधिवक्ता त्रिलोक र. राठी कुछ इस तरह कहते हैं, "मान्यवर! उपरोक्त शीर्षक के वाद में वादी का विनम्र निवेदन निम्नलिखित है।"

हिन्दी के झण्डाबरदारों की सूची में राठी का मामला जरा हट कर है। विचार गोष्ठियों, राजभाषा दिवस के शगुन रुपी आयोजनों और पचसितारा जुगाली से दूर, वे चालीस वर्षों से शुद्ध- संस्कृतनिष्ठ हिन्दी के लिये 'एकला चालो रे' की धुन पर अभियान चला रहे हैं और न्यायालय में शुद्ध हिन्दी का प्रयोग तो उनके अभियान का एक स्वरुप मात्र है।

अधिवक्ता यानी वकील के रुप में अपने लगभग सारे मुकदमें संस्कृतनिष्ठ हिन्दी में लड़ने वाले राठी मानो हर मुकदमें में देवनागरी के मूल स्वरुप के पक्ष में याचिका ले कर न्यायालय में प्रस्तुत होते हैं।

हिन्दी के लिये कुछ करने की प्रेरणा उन्हें 1965 में मद्रास शुरु हुए हिन्दी विरोधी आन्दोलन से मिली। उनके आरम्भिक प्रयास व्यावहारिक जीवन में हिन्दी का उपयोग बढ़ाने के लिये शुरु हुए। राठी के शब्दों

में, “हमने अपने मित्र व्यापारियों को अनुरोध किया कि वे रोकड - खातों, बहियों व बिल बुक में अंग्रेजी व उर्दू के प्रभाव को कम करें।”

कुछ व्यापारियों ने साथ दिया पर फोन नम्बर’ को ‘दूरभाषांक’ से सरल मानकर ज्यादातर ने समय की ‘हिंग्लिशी’ धारा में बहना ठीक समझा।

राठी हताश नहीं हुए और हिन्दी की शुद्धता पर जोर देते हुए भाषण, निबन्ध, श्रुतलेख आदि प्रतियोगिताओं का आयोजन शुरु किया। पत्रकारों, आशुलिपिकों, भाषा अध्यापकों और साइन-बोर्ड पेण्टर्स के

लिये शुद्ध हिन्दी लेखन के निःशुल्क प्रशिक्षण आयोजित किये गये।

उन्होंने न्यायिक कार्य हिन्दी में करते हुए न्यायालय में मिलने वाले प्रपत्रों के हिन्दी संस्करण सस्ते में उपलब्ध करवाना शुरू किया। मगर यहाँ भी चुनौतिया मुँह फैलाये तैयार खड़ी थीं। विधि साहित्य व पुस्तकें अंग्रेजी में ही उपलब्ध थीं लिहाजा उनके अधिवक्ता मित्र भी हिन्दी में कार्य करने के इच्छुक नहीं थे।

व्यक्तिगत चुनौतियों को राठी इन शब्दों में बयान करते हैं, "तकलीफ तो तब होती जब वादार्थी पैरवी करने का आग्रह ले कर मेरे पास आते परन्तु ये जानकर कि दावा हिन्दी भाषा में प्रस्तुत किया जाएगा,

यह कह कर विदायी ले लेते कि इससे तो मुकदमा हारने की संभावना बढ़ जाएगी।" हालांकि कई मामलों में ठीक इसका उल्टा हुआ और भाषा के दुर्लभ प्रयोगों ने उनके पक्ष को मजबूत ही किया।

राठी को हिन्दी पत्र-पत्रिकाओं से भी शिकायत है। "देवनागरी में पंचमाक्षर नियम, पूर्ण विराम व चन्द्र बिन्दु सभी लुप्त किये जा चुके थे, अब रही-सही कसर समाचार माध्यमों में हिंग्लिश के जबरन प्रयोग ने पूरी कर दी। शुद्ध हिन्दी को हास्य का विषय बनाया जाने लगा। हम ट्रेन को लौहपथ गामिनी कह हिन्दी की खिल्ली उड़ाते हैं जबकि इसके लिये संयान शब्द निर्धारित है। 'सिग्नल' का आशय

संकेत से है पर उसे आवक-जावक सहमतिसूचक यंत्र कहा जाता है!

ये कुप्रचार से ज्यादा कुछ नहीं," वे रोषपूर्वक कहते हैं। इन दिनों राठी हिन्दी व्याकरण के मूलभूत सिद्धान्तों व देवनागरी के सहज व वैज्ञानिक स्वरुप को समझाती एक पुस्तक को अंतिम रुप देने में व्यस्त हैं। इस बीच एक पत्रकार उनके कार्यों और अनुभवों को प्रकाशित करने के इरादे से उनके पास आता है और वे भाषा में मिलावट ना करने की शर्त रख कर उसे चिन्ता में डाल देते हैं और पत्रकार विदायी ले लेता है।

"दोष हमारा नहीं है," राठी कहते हैं। "खान-पान, विचार हो या फिर भाषा; शुद्धता तो हमें पचती ही नहीं

है। अशद्धि हमारी नियति है।" शायद हिन्दी - प्रेमियों को पाचन सुधारने का सन्देश समझ आ जाए।

पिंटू डायरी: "गर्मी में ये हाल है कि "तजुरबा" लिखा हुआ हो तो भी तरबूजा पढ़ने में आता है"

आओ जी भर कर कोस लें

कई दिनों से दिल के किसी कोने में मामला सादा-सादा सा चल रहा था। क्या करें? कोसने के लिए कोई ढंग का 'सब्जेक्ट' ही नहीं मिला रहा था। आख़िर कब तक कोई आईपीएल क्रिकेट के आसपास मंडराते हुए कोसने के लिए पत्नी और भगवान जैसे कारण ढूंढे?

थोड़े दिन पहले ही हम हॉकी की दुर्दशा के लिए गिल साहब और उनके कुनबे को कोस कर फ़ारिंग हुए थे और एकरसता को तोड़ने के लिए कोई बड़ा-सा भावी 'रियल-बिग' कारण ढूंढने पर भी नहीं मिल रहा था।

सच बताऊं तो एक सच्चे भारतीय होने के नाते मुझे हर पड़ाव पर एक अदद 'सुपात्र' की तलाश रहती है, जिसे जी भर कोसा जा सके।

कोसने की कला में हम भारतीयों ने महारथ हासिल की है। इस कला का समृद्ध इतिहास है, मजबूत सामाजिक आधार है, मान्यता है, नियम-कायदे हैं और फ़ायदे ही फ़ायदे हैं।

आज़ादी से पहले हम अंग्रेज़ों को कोसते थे। हमारी दुर्गति हमारे पिछड़ेपन और दुःखों का सबसे बड़ा

कारण वे ही थे। बापू के साथ हमें आज़ादी मिली और अंग्रेजों ने विदा ले ली। मन का ये कोना कुछ दुःखी हो गया। सवाल ये था कि अब किसे कोसा जाए? नज़दीक ही प्यारे बापू 'गांधीजी' 'अवेलेबल' थे, सो हमने उनको कोसना शुरु कर दिया। वे स्वर्गवासी हुए तो हमने अपनी सुविधानुसार कभी सांप्रदायिकता तो कभी साम्यवाद, कभी अमेरिका तो कभी पाकिस्तान को कोसना चालू रखा।

पाकिस्तान तो इस मामले में हमें इतना 'प्रिय हो गया कि गाहे-बगाहे जब चाहे हमने कोसने की कला में उसका उपयोग किया। कुल मिलाकर हर बार हमने किसी न किसी को ढूंढ ही निकाला, जिसे कोस कर जी हल्का किया जा सके। कभी हमें इंदिरा गांधी मिली तो कभी मिल गए नरेंद्र मोदी... कभी हिंदू तो, कभी मुसलमान।

नोबल पुरस्कार विजेता अमर्त्य सेन ने अपनी पुस्तक 'द् आयूमेंटेटिव इंडियन' में बहसबाज़ भारतीयों की इसी क्वालिटी को एक अलग दृष्टिकोण से पेश किया सेन साहब ने भी माना कि बहस करने के लिए हमें नित नए कारण और 'सब्जेक्ट' चाहिए।

बहुत पहले, देवता लोग राक्षस लोगों को कोसा करते थे और कोसने के लिए बाकायदा सभाएं होती थीं। आज संसद

और सड़क से लेकर डायनिंग टेबल तक हमने उस परंपरा को सहेज रखा है।

कोसने के साथ सबसे बड़ा फायदा यह है कि हम सुधार की कवायद से बच जाते हैं। आज़ादी के बाद कोई हमें पूछ लेता कि भाई विकास करने के लिए, जागरुक बनने के लिए हमने अपनी तरफ से कोई

योगदान दिया है क्या? ऐसे सवालों का जवाब देने के लिए हमें अपने कर्तव्यों की बात करनी पड़ती। खुद को कसौटी पर कसना पड़ता, इसलिए हमने शॉर्टकट तलाश लिया।

जब मूड हुआ और हक़ीक़त से सामना हुआ, हम पाकिस्तान को कोसने बैठ जाते। दिल को चैन भी आ जाता और कुछ सकारात्मक योगदान देने जैसी ज़िम्मेदारी से भी बच जाते।

अब देखिए ना! पिछले कुछ दिनों से हम बांग्लादेशियों को कोसने की क़वायद में व्यस्त है। पाकिस्तान को कितनी नाराज़गी होती होगी कि हम उसे भूल गए? आतंकवाद के बदलते ट्रेंड के बीच उस जनता को जागरुक करने की बात हम अभी तक नहीं सोच रहे हैं, जो 'कर्फ्यू' को भी 'देखने' की चीज़ मानती है। हम वर्षों और दशकों तक फिर लापरवाह बने रहेंगे, खुद के कर्त्तव्य को भूले रहेंगे और जब भी कोई

धमाका हमारे दुर्भाग्य का संकेत देगा तो हम फिर से बांग्लादेशियों या पाकिस्तानियों को कोसना शुरू कर देंगे।

आरक्षण के जिन्न को बोतल से निकाल कर उसे बंद करने का कड़ा और कठोर रास्ता सोचने से हम हमेशा बचते रहे हैं। हम किसी भी वर्ग से हों, शॉर्टकट यह निकाला गया कि जिन्हें आरक्षण मिल रहा है, उन्हें कोसते हुए खुद के लिए भी मांग लिया जाए। आज जब उसी शॉर्टकट के साइड-इफ़ेक्ट अशांति के रुप में सामने आ रहे हैं तो हम कभी गुर्जर तो कभी पुलिस को कोस कर अपने मन को शांत करने में लगे हुए हैं।

समय निकलने दीजिए, मौतों का ग़म भुला दिया जाएगा, अशांति के कारणों का उत्तर वोट बैंक में ढूंढ़ा जाएगा और कोसते-कोसते हम अगली किसी अशांति पैदा करने वाली घटना के इंतजार में बैठ जाएंगे।

उधर बहस के साथ-साथ कोसने की कला भी हाइटेक हो चुकी है। चौबीस घंटे के टी.वी. चैनल विशेषज्ञों की फ़ौज लेकर हाज़िर हैं जो मटुकनाथ, माया, ठाकरे और शनिदेव की चर्चा के साथ किसी न किसी को कोसने के लिए मसाला दिलवा सके। कई वर्षों तक मीडिया ने अमिताभ बच्चन के खांसने-छींकने के बहाने उन पर निगाहें जमाए रखी। फिर अमर सिंह और उत्तर प्रदेश के बहाने उनको कोसना शुरु

किया। आजकल बिग-बी भी अपने ब्लॉग के ज़रिए मीडिया को जम कर कोस रहे हैं।

हम सभी कोस-कोस कर सिद्ध कर रहे हैं कि हमारी पहचान को कोई खतरा नहीं है। हम भारतीय होने का फर्ज निभा रहे हैं। उठते-बैठते, किसी को कोस ही रहे हैं।

पिंटू की सुलगती शायरी...

"यूँ तो गिला नही मुझे

खुदा तेरे किसी फ़ैसले से... लेकिन

तरबूज मे इतने बीज न भी डालते तो

क्या घट जाता!"

हिंदी को तुम्हारी बैसाखी की क्या ज़रुरत

अभी न तो हिंदी दिवस है और ना ही आने वाले चुनावों में हिंदी-प्रेम कोई मुद्दा बनने वाला है। फिर ये बेमौसम हिंदी भाषा के प्रति लगाव क्यों?

थोड़ा खुश हो लें कि हमारी हिंदी अब संरक्षण प्रयासों को मोहताज नहीं रही। यह कुलांचे भर रही है और इसे सरकारी बैसाखियों की जरुरत भी नहीं है। पत्रकार वीर सांघवी ने एक अंग्रेजी दैनिक में अपने साप्ताहिक कॉलम में टीवी शो 'क्या आप पांचवीं पास से तेज हैं के ज्यूरी सदस्य के रूप में अपने अनुभव बांटे। उनके अनुसार शो में भाग लेने वाले प्रतिभागियों से बातचीत से यह बात सामने आई कि हिंदी अब वास्तव में देश की राष्ट्रीय भाषा बन चुकी है। वे कहते हैं कि टीवी ने वो लक्ष्य पा लिया है, जो दशकों तक सरकारी नीतियां हासिल नहीं कर सकीं।

'हर राज्य का प्रतिभागी धाराप्रवाह हिंदी बोल रहा था और भाषा ज्ञान का स्तर आश्चर्यचकित करने वाला था। दरअसल हिंदी के लगातार बढ़ते प्रभाव का अनुभव हर क्षेत्र में

किया जा रहा है। बहुराष्ट्रीय कंपनियों को हिंदी भाषी इलाक़ों में पैठ क़ायम करने के लिए उन लेखकों की ज़रूरत है, जो 'दिल मांगे मोर', 'ये ही है राइट च्वॉइस बेबी' और 'ढूंढते रह जाओगे' जैसे मुंह पर चढ़ने वाली हिंदी या यूं कहें कि हिंदी का तड़का लगे जुमले दे सकें।

गूगल और फेसबुक के अलावा व्हाट्सप्प पर हिंदी का प्रयोग लोकप्रिय क्या हुआ, अब कई अन्य अन्तर्राष्ट्रीय स्तर पर लोकप्रिय साइट हिंदी को गले लगाने के लिए आतुर हैं। हिंदी की उड़ान में जनसंचार माध्यमों की भूमिका महत्त्वपूर्ण रही है। अब तक अंग्रेजी के एकाधिकार वाले

बिज़नेस डेली न्यूजपेपर्स भी हिंदी संस्करणों के साथ बाज़ार में हाज़िर है। एफ एम के श्रोतावर्ग में बॉलीवुड के हिंदी गाने और हिंदी में चटर-पटर करते रेडियो जॉकी सर्वाधिक सुने जा रहे हैं।

हिंदी को आगे बढ़ाने के सरकारी प्रयासों के परिणाम शायद इसलिए न मिले हों कि वे अक्सर थोपे हुए प्रतीत होते थे। सरकार किसी शहर के कोनों में कियोस्क बनाकर प्रोत्साहन का प्रयास तो कर सकती है, लेकिन उन कोनों को 'बाजार' में तब्दील करना उसके बस में नहीं है।

यही हाल हिंदी को सहारा देने के नाम आजादी के बाद हुए सरकारी प्रयासों का हुआ आज की स्थिति साठ के दशक से काफ़ी बदली हुई है, जब हिंदी विरोधी आंदोलन सरकारी

प्रयासों की प्रतिक्रिया के रूप में हुआ था। आज तो स्थिति यह है कि पूर्व मुख्यमंत्री चंद्राबाबू नायडू और करुणानिधि की पुत्रियां हिंदी सीखने के लिए प्रशिक्षकों की सेवाएं ले रही हैं।

कोई आश्चर्य नहीं कि इंटरनेट पर ऑनलाइन हिंदी सीखने के लिए तीन लाख अस्सी हजार वेबसाइट्स हाज़िर हैं। हिंदी ब्लॉग्स का संसार दिनों दिन लोकप्रिय होता जा रहा है। अक्षरग्राम डॉट कॉम जैसे मंच ब्लॉग लेखकों को साथ ला रहे हैं, वहीं शब्दकोष डॉट कॉम जैसी साइट्स हर दिन नए शब्द अपने ख़ज़ाने में जोड़ रही है।

नए दौर में उन लोगों की खोज है, जो हिंदी का प्रयोग सृजनात्मक तरीके से करके बेहतर संवाद कर सकें। हिंदी में अच्छा बोलना, सोचना, लिखना, प्रचारित कर पाना, अनुवाद क्षमता सभी की मांग तेज़ी से बढ़ रही है। नए माध्यमों ने अवसर उन्हो दिए हैं और उन अवसरों में पैसा भी बरस रहा है। विज्ञापन जगत में हिंदी की एक पंचलाइन सटीक तरीके से लिखकर आप लाखों रुपए जेब के हवाले कर सकते हैं।

सरकार के एक फैसले का परोक्ष प्रभाव हिंदी पर बिल्कुल स्पष्ट दिख रहा है। सूचना के अधिकार के तहत दस्तावेजों को उस भाषा में देने की बात कही जाती है, जिसमें आम व्यक्ति को बात समझ में आ सके। इस शर्त के चलते कई अंतर्राष्ट्रीय संगठन भारत में क्रियाकलापों का दस्तावेजीकरण अंग्रेज़ी के साथ-साथ हिंदी में भी कर रहे हैं। इस जरुरत

ने अनुवादकों के लिए खासे अवसर प्रदान किए हैं और तकनीकी दस्तावेज़ों के अनुवाद के लिए एजेंसियां ऊंचे वेतन पर लोगों को हिंदी की दक्षता के आधार पर नियुक्त

कर रही है।

अगली बार यदि कोई आपसे कहे कि अपने बच्चों के कैरिअर विकल्पों को देखते समय थोड़ी सुविधा रहे, इसके लिए उन्हें अभी से हिंदी से लगाव करना सिखाएं तो उसे हल्के तौर पर न लें। यहां से बहुत दूर 'दूँ ऑस्ट्रेलियन न्यूज' समाचार पत्र बड़े गर्व से यह खबर छाप रहा है कि उनके प्यारे शेन वॉर्न ने आईपीएल ट्वंटी-ट्वंटी में राजस्थान रॉयल्स का जादू जगाया है तो उसका एक कारण यह भी है कि वो अपनी टीम से हिंदी में बात करना सीख रहे हैं। समाचार पत्र के अनुसार शेन वॉर्न 'नमस्ते' और 'आप कैसे हैं?' से कहीं आगे अब तू जाकर बैटिंग कर' तक पहुंच चुके हैं। आई पी एल का मैदान हो या मीडिया

का संसार, हिंदी दौड़ना चाहती है। उसे अब बैसाखियों की....

> पिंटू प्रश्न: "ये छोटी abcd
>
> बड़ी ABCD से
>
> कितने साल छोटी है?"

रेडीमेड महानता से सिर्फ तीन सौ डॉलर दूर

महानता मेरे पास आई और मैं उसे गले भी न लगा सका। सच कहूं तो वो 'रेडीमेड' महानता मुझसे

उतनी ही दूर थी, जितनी आपकी आखें इस आर्टिकल से दूर हैं। मुझमें तीन सौ डॉलर 'फेंकने' की हिम्मत होती तो अभी मैं भी 'मैन ऑफ़ द ईयर' जैसे किसी महान उपनाम को चिपकाए घूम रहा होता। उसमें अगर आप भी तीन सौ डॉलर 'एक्स्ट्रा' का योगदान देने को तैयार होते तो ऐसी ही महानता आप पर लादने में भी मुझे कोई दिक्कत नहीं होती।

बैठे-बिठाए समाज को सिर्फ़ छह सौ डॉलर में दो महान् हस्तियां मिल जाती। लेकिन यह हो ना सका और न जाने कितने बधाई संदेशों, अभिनंदन समारोहों, प्रशस्ति गानों का घाटा हो गया! फूल-मालाएं, स्मृति चिह्न, समाज शिरोमणी पलक... हम महान बनते तो स्थानीय अर्थव्यवस्था को अप्रत्यक्ष कितना लाभ होता?

चलिए दिमाग़ का दही बनाने की बजाए सीधे महानता से जुड़े गोरख धंधे की बात करते हैं जो इंटरनेट के फैलाव के

साथ-साथ भारत में भी हर साल हज़ारों को प्रसिद्ध हस्तियों के लायक उपनाम बेचने के लिए शुरू हो चुका है।

पिछले सप्ताह एक शाम अपने मोबाइल पर अंतर्राष्ट्रीय कॉल प्राप्त की। कॉल करने वाली युवती न्यूयॉर्क

की एक प्रतिष्ठित' संस्था से बोल रही थी। जैसा कि उन्होंने मुझे बताया, उक्त संस्था हेज़ारों-हज़ार प्रत्याशियों का चयन इंटरनेट पर उपलब्ध ब्लॉग परिचयों, समाज के लिए योगदान और उपलब्धियों के आधार पर करती है। 'रिसर्च बोर्ड' ने गहन विचार-विमर्श के बाद मेरा नाम 'मैन ऑफ़ द ईयर' श्रेणी के लिए चयनित किया है।

फ़ोन पर ख़ुद के बारे में इतने महान विचार सुन कर एकवारगी तो भरोसा नहीं हुआ। फिर लगा कि शायद सभी महान् हस्तियों के साथ ऐसा ही होता हो। मैं बेवकूफ़ों की तरह ये सोचता रहूं कि मैंने समाज

में केवल दो बच्चों की संख्या का योगदान दिया है और न्यूयॉक से मुझे पता चले कि हम तो समाज के लिए महान् बनने लायक 'ऑलरेडी' दे चुके?

लगभग पौन घंटे तक मुझे अपनी महानता पर भरोसा दिलवाते हुए फ़ोन करने वाली युवती ने मुझे बताया कि 'मैन ऑफ़ द ईयर' बनने पर मेरा नाम विशिष्ट लोगों के बारे में प्रकाशित होने वाले ग्रंथ में परिचय सहित शामिल

किया जाएगा, स्वर्ण अक्षरों से उत्कीर्ण एक 'महानता' प्रमाण पत्र मेरे निवास स्थान के पते पर भेजा जाएगा।

मैं अभी क्या कर रहा हूं? भविष्य के क्या सपने हैं? जीवन में सफलता का मंत्र क्या होता है? आदि-आदि सवाल ऐसे पूछे गए मानो वो मेरी लघु जीवनी प्रकाशित करने की तैयारी कर रहे हैं। बात करते-करते महानता की एजेंट वो युवती मूल मुद्दे पर आयी।

'देखिये! हमारी संस्था के साथ 'मैन ऑफ़ द ईयर' के रूप में जुड़ने के लिए आपके सामने दो विकल्प हैं। यदि आप हर वर्ष प्रकाशित होने वाले ग्रंथ में शामिल होना चाहते हैं तो आपको साढ़े सात सौ डॉलर का योगदान करना होगा। दूसरा विकल्प पांच वर्षों के लिए साढ़े पांच सौ डॉलर के योगदान पर उपलब्ध होगा।'

मन ही मन डॉलर को भारतीय रुपयों में बदलते हुए मैं समझ गया कि दुनिया भर में हर साल लोगों को 'महान्' बनाने के धंधे में ये संस्था ज़रूर धनवान बनती जा रही है।

'मेडम! मुझे ये सौदा थोड़ा महंगा लग रहा है।' मैंने अपनी अंग्रेजी में अमेरिकन टच देकर मोलभाव की मुद्रा अपनाई। थोड़ी देर की बहस के बाद ऑफ़र चार सौ डॉलर और फिर तीन सौ डॉलर पर इस बात के

साथ उतरा कि मेरा केस स्पेशल है और मुझे वो पैकेज दिया जा सकता है, जो एनजीओ यानी सेवाभावी

संस्थाओं के लिए रिज़र्व होता है।

अब मैं अपनी औकात पर उतर आया। मैडम मुझसे मेरे क्रेडिट कार्ड का 'थोड़ा-सा' विवरण मांग रही थी और मैं कुछ भी न देने पर अड़ गया।

'देखिए, आपको मेरे बारे में भी कुछ सोचना चाहिए।' मेरी भावुकता को कसौटी पर कसते हुए उन्होंने बताया कि इतनी देर बात करने के बाद वे मेरा 'केस' अपनी तरफ से फ़ाइनल कर चुकी हैं और अब यदि मैं इससे पीछे हटता हूं तो तीन सौ डॉलर की राशि उनको अपनी जेब से चुकानी पड़ेगी।

अपनी कंजूसी का परिचय देते हुए मैंने फ़ोन काट दिया और 'रेडीमेड' महानता मुझे गले ही नहीं लगा सकी।

इस प्रकार के गोरखधंधों को फलता-फूलता देखकर महानता की कई वैरायटी बाज़ार में उतर जाएंगी। स्टूडेंट ऑफ़ द ईयर', 'डॉक्टर ऑफ़ द ईयर', 'लीडर ऑफ़ द् ईयर' जैसे आइडिया तो पहले से ही चलन में आ चुके हैं और कई और आने की तैयारी में हैं।

आप भी महान बनना चाहें और मेरी तरह कंजूसी आप पर हावी नहीं है तो खर्च डालिए तीन सौ डॉलर और लगा लीजिए गले महानता....

पिंटू को ट्रेन में 'जनरल' डब्बे तो मिले लेकिन कोई 'दलित' कोच नहीं! (सरासर नाइंसाफी!!)

"पिंटू ने बताया था कि

psychology में P साइलेंट होता है

पांखी ने इसे Pyaar में अप्लाई किया..."

"मेरे पति एक हफ्ते से गायब हैं

पुलिस: उनकी कोई निशानी?

"जी, ये चुन्नू 6 साल का और मुन्नू 4 साल का"

झील के किनारे गीली रेत किनारे सुस्ताते दो दिल...

कई पलों का वो मौन!

पांखी: 'तुम कुछ बोलते क्यूँ नहीं!!"

पिंटू...

हौले से पलकें झुका कर रेत पर लिख रहा:

"पान हमार इज खायो है..."

पिंटू के राज्य में हर परीक्षा मे
आठ चरण होते हैं-

1. प्री
2. मेन
3. इंटरव्यु
4. धरना
5. लाठीचार्ज
6. हाईकोर्ट
7. सुप्रीमकोर्ट
8. फिर CBI जांच

उसके बाद ही नियुक्ति!!
(पढेगा युवा!! लड़ेगा युवा!!
बचेगा तो ...नौकरी करेगा युवा!!)

पिंटू डायरी:
"इधर इतनी गरमी पड़ रही है
कि अगर कोई ई मेल में भी
Warm Regards
लिख दे तो...
गुस्सा आ जाता है।"

पिंटू: आपकी बेटी पांखी में हज़ारों खामियां हैं।

सासूजी: सही है बेटा! तभी तो, उसको कोई अच्छा लड़का नहीं मिला!

पिंटू: गुड नाईट रामू भैया!

रामू: गुड नाईट पिंटू बाबा

पिंटू: गुड नाईट बाई!

बाई: गुड नाईट पिंटू!!

पिंटू: अंग्रेज की औलादों!!

अरे मच्छर काट रहे है,

'गुड नाईट' मांग रहा हूँ!

पिंटू डायरी: "मैंने कभी कोई

कॉम्पिटिटिव एग्जाम नहीं दिया...

कभी सरकारी नौकरी के लिए अप्लाई नहीं किया।

क्योंकि खुद पर... पूरा भरोसा था"

(...कि ये मुझे नहीं मिलेगी!)

पिंटू पकाऊ शायरी: "आज भी मैं निकला था मोहब्बत की तलाश में...

आज भी मैं निकला था मोहब्बत की तलाश में...

गर्मी बहुत थी,

छाछ पीकर वापस आ गया!"

"अगर तुम्हें तुम्हारी राह में

गडढे मिलें,

पथ में...

बड़े-बडे

पत्थर दिखाई दें,

तो समझ लेना...

रोड का काम चल रहा है!"

- पिंटू ठेकेदार

(हर बार ज्ञान देने का ठेका हमने ना ले रखा)

मूँगफली में दाना नहीं...

मैं तेरा मामा नहीं!

बताओ यार! एक जरा सी बात पर इतना अहम रिश्ता तोड़ दिया, मामा है कि पजामा!!

पांखी: तुम मेरे लिए ताजमहल बनाओगे?

पिन्टू: हाँ ज़रूर! शक्कर कितने चम्मच लोगी?

Lightning Source UK Ltd.
Milton Keynes UK
UKHW010847070223
416609UK00003B/921

9 798888 699539